D0286805

CHRONIQUES DÉSOPILANTES DE L'OS À MOËLLE

PIERRE DAC

CHRONIQUES DÉSOPILANTES DE
L'OS A MOËLLE

Textes réunis et présentés par
MICHEL LACLOS

JULLIARD

© *René Julliard, 1963.*

ISBN. 2-266-01458-7

PREFACE

> Au génial inventeur de la Houille
> dormante et de la Confiture de
> nouilles.

L'HUMOUR sait avoir des nuances infinies : de sa diversité résulte, sans nul doute, cette notoire difficulté que le critique et l'exégète éprouvent à le définir, à l'acculer dans le piège étroit des mots pour le ficher d'un coup de plume sur le papier comme un quelconque lépidoptère.

Depuis qu'André Breton le codifia en un ouvrage fameux, on n'ignore plus qu'il existe un humour dit noir, *dont les représentants se nomment — prestigieux palmarès ! — Sade et Xavier Forneret, Swift et Lichtenberg, Charles Cros et Alphonse Allais, Jean Ferry et Benjamin Péret, Raymond Roussel et quelques autres, d'aussi large envergure. L'humour noir, c'est bien connu, ne suscite point la franche hilarité, le rire épais, spontané, qui secoue et « soulage ». Il est « la politesse du désespoir », ainsi que l'exprima joliment Chris Marker, et, élément volontiers corrosif, manifestation de révolte, remise en question des valeurs consacrées et des tabous tant sociaux que religieux, n'engendre guère chez son lecteur ou son témoin qu'un faible sourire crispé. Encore est-ce là affaire de disposition heureuse ou de souplesse des muscles zygomatiques. La libération, en fait, est à l'intérieur.*

Ce serait, cependant, restreindre singulièrement le champ de l'humour que de n'en retenir que ce seul aspect (le plus apprécié, le plus galvaudé même, de nos jours, il est vrai). Aussi bien, le noir n'est-il pas, chez les humoristes, toujours soutenu, et y a-t-il, dans la production des plus pessimistes, dans James Thurber comme dans Allais, dans André Frédérique comme dans Ambrose Bierce, des zones d'un rose suave, des verts acides, des jaunes « pour rire de la même couleur », des bleus prussiques, des rouges sang et des mauves pour agacer les dents.

Noirs, les textes que nous vous présentons ici ne le sont pas. Tant s'en faut. Ni morbides ni désabusés, rarement caustiques, ils revêtent, du prisme chatoyant de l'humour, les couleurs plutôt tendres et presque de « bon goût ». A leur lecture, le rire vient aisément, sans contractions intérieures intempestives. Est-ce dire que les auteurs s'y montrent moins aptes que d'autres à glisser des pétards sous la fesse rebondie des conformismes, à saper insidieusement le moral des arrières ? Que leur démarche, gratuite en apparence, se révèle, somme toute, rassurante ? Voilà qui n'est pas si sûr, on s'en apercevra vite : pour emprunter des voies différentes et divertir avec meilleure conscience, l'absurde n'en est pas moins, tout comme l'humour noir, un terrorisme.

L'absurde ? Précisons : si Littré y voit sans malice « ce qui est contraire au sens commun », les philosophes modernes en ont fait un usage abusif en lui donnant un contenu de totale non-signification. Entre Camus et Cami, il y a plus de différences, en vérité, que celle de la dernière syllabe. C'est pourquoi on pourra, avec Robert Benayoun, préférer légitimement le mot anglais de « non-sense », « dont le contexte littéraire n'a jamais fourni la moindre équivoque, laissant à son équivalent français l'arrière-plan grammatical qui lui est propre ».

Dans son Anthologie du Non-sense (1), ouvrage

---

1. Jean-Jacques Pauvert, éditeur.

passionnant, savoureux, que l'on souhaite voir se répandre davantage, Robert Benayoun, spécialiste du genre, précise : « *Enfance et folie d'un monde qui se veut adulte et sensé, le non-sense, en effet, par la complexité même de son désordre, rend à son tour le monde insane et enfantin...* » Et plus loin :

« *Affoler les boussoles, mêler les points cardinaux, intervertir les feuillets d'une encyclopédie, voilà qui constitue un bien horrible complot, digne de quelque Fantômas espiègle. Un exercice aussi poussé du déséquilibre, quoi qu'on en dise, tend à désorganiser le monde par la bande, à coups perfides d'incongru. Et les débordements irrationnels d'un Benchley ou d'un W. C. Fields, manifestations indirectes de la plus irréductible liberté, révolte spontanée contre les interdits de la Raison, représentent pour la société un danger plus immense qu'il n'apparaît.*

« *Peut-être ce danger n'est-il pas perceptible à tous les échelons du non-sense, qui en possède plusieurs. Du refrain stupide à la mystification délibérée, de la digression stérile à l'erreur systématique, la marge est grande, et les degrés divers. La réaction du lecteur oscillera sans peine de la condescendance amusée jusqu'à l'irritation confuse. Le germe n'en est pas moins présent, l'anarchie sous-jacente. Et si le non-sense, de sa marche placidement cahotique, va plus discrètement son chemin que ne fait, par exemple, l'humour noir, semeur de révolte, la preuve n'est pas encore faite de son infériorité, en matière de résultats.* »

On ne saurait mieux dire ni plus opportunément. Affoler les boussoles, dérégler les pendules et même le temps qu'il fait, intervertir les pages des encyclopédies, des clefs des songes, des manuels de savoir-vivre, avec l'aisance d'un joueur professionnel en face d'un jeu de 32 cartes, mettre le nord à l'est, la lune en plein midi, le dessus dessous ou ailleurs, les Pyrénées au cœur du pays de Galles, prendre non seulement Le Pirée pour un homme mais aussi le plastron pour un *animal féroce et l'alinéa pour un poisson rouge, scander des scies ineptes en forme d'hymnes, mystifier les ménagères avec la confiture de nouilles ou la sauce aux câpres sans câpres, les bricoleurs avec la greffe mobilière, les crédules avec la chaposophie, refaire la vie des hommes illustres sans souci de l'Histoire ni de la chronologie, parler longuement pour ne rien dire, se coiffer d'une chaussure, se chausser d'un passe-montagne, être pour ce qui est contre et contre ce qui est pour, inventer des machines et des machins qui ne servent à rien sinon à augmenter encore l'épaisseur de la confusion, voilà, en effet, ce que, très exactement et avec un bonheur quasi constant, firent Pierre Dac et ses collaborateurs dans* L'Os à moelle, *un bien singulier journal voué tout entier à la cause du non-sense. Deux années durant, au long de 108 numéros de quatre pages, grand format. Et ce, impunément, avec un succès certain, en dépit de la condescendance amusée de beaucoup et de l'irritation bien nette d'autres, fâchés de sentir leur dignité et leur rigueur intellectuelle de cartésiens bon teint compromises.*

Dans la mémoire de ceux qui vécurent l'immédiat avant-guerre (celle qui débuta en 1939, bien sûr !), L'Os à moelle *a laissé une empreinte ineffaçable. A juste titre, on en jugera. Le Français, affirme-t-on parfois, n'a pas la fibre humoreuse : opinion entretenue même par les plus farouches supporters de l'humour (dans son* Anthologie, *pourtant documentée, Robert Benayoun omet les indiscutablement « non-sensiques » Commerson, Cami, André Frédérique et Pierre Dac !).* L'Os à moelle, *son succès, sa relative longévité ne prouvent-ils pas éloquemment le contraire ?*

L'Os à moelle *est indissociable de la personnalité de son fondateur, rédacteur en chef et abondant collaborateur Pierre Dac, lequel, à l'instar de M. Jourdain avec la prose, fit longtemps du non-sense sans le savoir... Né à Châlons-sur-Marne un peu*

10

avant le siècle, Pierre Dac débuta très jeune dans l'humour… en accrochant un hareng saur (animal littéraire s'il en est !) dans le dos de la redingote de son professeur. Il n'a plus, ensuite, qu'à poursuivre son petit bonhomme de chemin dans cette direction. Ce qu'il fait, la porte du collège s'ouvrant largement devant lui. Cela le mène tout d'abord à la guerre (celle de 14-18. Chaque chose en son temps !) où une balle malencontreusement égarée brise à la fois son bras et sa vocation naissante de violoniste, puis sur le pavé parisien où l'attendent les nobles états d'homme-sandwich, de chauffeur de taxi, de vendeur de savonnettes « à la sauvette », de représentant de commerce, et bientôt, sa timidité excessive aidant, de chômeur.

La fréquentation assidue de la vache enragée pousse quelquefois les moins déterminés à d'héroïques résolutions. Pierre Dac décide de devenir chansonnier. Pourquoi pas ? Il écrit : « Te rappelles-tu, M'amour, le soir tombait. Il tombait bien d'ailleurs et juste à pic pour remplacer le jour qui, c'était visible, ne passerait pas la nuit… » Ce qui préfigure les textes qu'il donnera plus tard à L'Os mais n'incite guère les directeurs de salles à l'accueillir sur leurs scènes. La veine est trop nouvelle. Pierre Dac lui-même ne sait pas d'où lui vient cette inspiration. D'emblée, il a trouvé un style. Devant le public médusé, il débite : « Parler pour ne rien dire ou ne rien dire pour parler sont les deux principes majeurs de tous ceux qui feraient mieux de la fermer avant de l'ouvrir. » Ou encore : « Pendant la canicule, nombre de personnes s'écrient : c'est effrayant il y a 35° à l'ombre ! Mais qui les oblige à rester à l'ombre ? » Avec un sérieux imperturbable. Comme s'il distillait du La Rochefoucauld. L'usine à gags de Pierre Dac vient de démarrer. La production sera intense et continue.

On le voit à « La Vache enragée », aux « Deux Anes », à « La Lune Rousse » et au « Coucou ». Sa réputation grandit de jour en jour. On l'entend sur les ondes de Radio-Cité où, en 1937, il crée le « Club des

Loufoques », puis, à quelque temps de là, sur celles du Poste Parisien où il lance la fameuse « Course au Trésor », insolite compétition qui consiste à faire rapporter par les participants, en un temps record, tout un lot d'objets hétéroclites : un dromadaire, un parapluie, un œuf dur, une machine à coudre, un ticket de métro de la station Glacière, une table à dissection, etc.

Dans l'euphorie des mois qui précèdent la guerre, cette absurde quête (nous ne prenons pas, rappelons-le, ce mot dans son sens péjoratif), ces inventaires loufoques (traduction de non-sens au pays de Descartes) connaissent le triomphe. Les jours de « Course au trésor », les Champs-Elysées sont embouteillés, de l'Arc à la Concorde.

C'est alors qu'on propose à Pierre Dac la rédaction en chef d'un journal qui serait l'organe officiel de ces « loufoques » déjà réunis en club et où son humour si personnel s'exprimerait sans contrainte. Il accepte, avance un titre : L'Os à moelle.

— Euh ! lui rétorque-t-on, pourquoi L'Os à moelle ?

— Pourquoi pas L'Os à moelle ?

Le premier numéro de L'Os à moelle, organe officiel des loufoques, paraît donc le vendredi 13 mai 1938, date jusque-là de bon aloi, bénéfique même encore qu'ambivalente. Format, présentation générale, distribution (équitable) des articles, des titres, des dessins et des photos, tout concourt à donner à L'Os un aspect infiniment sérieux qui le pourrait faire confondre, par l'inattentif, avec les autres feuilles du moment, si une manchette, en gras, n'annonçait : « LE PREMIER MINISTÈRE LOUFOQUE EST CONSTITUÉ... Mais il ne durera pas, nous dit M. Pierre Dac, président du Conseil. » Suit cette précision : « C'est au Poker-Dice que les portefeuilles ont été distribués. »

L'événement, on s'en doute, est longuement commenté. Au sein de ce nouveau ministère, on *remarque les noms de Roger Salardenne (ministère du Bœuf en Daube), de Robert Rocca (ministère des Vieux Dentiers et Jaunes d'Œufs) et de Fernand Rauzena (ministère des Moules à Gaufres et Sinapismes), lesquels feront beaucoup pour la bonne tenue ultérieure du journal.*

Dans son éditorial, Pierre Dac, Président du Conseil de fantaisie mais rédacteur en chef bien réel, s'explique sur les raisons qui lui ont fait fonder ce nouvel organe, avec ce ton inimitable qu'on a tant imité :

« Depuis quelque temps, on sentait que quelque chose allait se produire ; chacun avait comme une sorte de pressentiment, une espèce de vague prescience d'événements définitifs ; c'était impalpable, aérien, imprécis, volatil et cependant presque concret dans sa fluidité embryonnaire ; les gens respiraient difficilement, oppressés par cette attente dont on sentait qu'elle se raccourcissait à mesure qu'elle s'allongeait ; les nerfs se tendaient à tel point que nombre de ménagères faisaient sécher le linge dessus pour leur faire prendre patience.

« Et puis, un soir, un trou se produisit dans le voile des nuées de l'avenir ; mes camarades et moi, réunis dans l'arrière-salle du grand café des Hémiplégiques Francs-Comtois, eûmes soudain la révélation de ce que le monde attendait de nous. Nous n'avions plus à hésiter ; notre devoir était tout tracé et la porte de l'espoir s'entrouvrait à deux battants sur la fenêtre donnant sur la route de l'optimisme et de la bonne humeur : la grande iDée avec un grand D était née, L'Os à moelle *était virtuellement créé...* »

Quant à son programme, Dac le dévoile tout net :

« Il ne me reste plus qu'à souhaiter à notre journal tout ce que nous pouvons lui souhaiter afin qu'il puisse accomplir l'œuvre à laquelle il est dévolu, dans une atmosphère propre à regrouper les bonnes volontés éparses dans un climat dont l'indéfectibilité ne le cédera qu'à une euphorie sereine, indélébile et entièrement prise dans la masse. »

Le la donné par le chef de troupe, les collaborateurs de L'Os embouchent leurs instruments : à Roger Salardenne échoit Redis-le-Moelleux, éphémérides bouffonnes, G.K.W. Van den Paraboum (pseudonyme baladeur) signe un grand reportage « chez les fumeurs de cravates », illustré par Maurice Henry, lequel passe du crayon à la plume avec un autre reportage sur le salon nautique : « De l'omelette de Colomb au bras de mer tatoué. » Jacques Alahune rapporte un entretien d' « Une heure dix avec… Louis XIV » tandis que Ponton du Sérail (Roger Salardenne) entame son grand feuilleton inédit Le Disparu de la Huche à pain dont les résumés (puis les résumés des résumés) ne le céderont point en saveur à cette délirante parodie. Claude Dhérelle tient la rubrique théâtrale, Léopold Lavolaille celle du cinéma (« Le film creux remplacera-t-il le film en relief? »), etc. Les dessins sont de Maurice Henry, KB2, Bugette, et J. Pruvost.

Dès ce premier numéro, la formule de L'Os à moelle est au point et ne subira, par la suite, que peu de modifications. Les chroniques régulières (ou presque) sont en place : « Recettes de Tante Abri », « Pour se distraire en société », « Nouvelles atmosphériques », « Plus on est de fous… » (Courrier des lecteurs), « Tribune osficielle de notre Président » et aussi « Petites annonces », ces célèbres « Petites annonces » qui mériteraient à elles seules les honneurs d'un recueil et qui contiennent le désormais classique : « On demande cheval sérieux connaissant bien Paris pour faire livraisons seul. »

De semaine en semaine, le nombre des collaborateurs réguliers ou occasionnels s'étendra notablement. C'est ainsi qu'on y pourra lire les signatures (entre autres) de Jean Marsac, Michel Herbert, René Lefèvre, Fernandel, Gabriello, Maurice Coriem, Pierre Devaux, Gaston Berger, Jean Survot, Georges Merry et Bernard Gervaise pour les textes et de Bernard Aldebert, R. Carrisey, Jean Effel, Picq, Carbi, Moisan, André François, etc., pour les dessins. De *nouvelles rubriques naîtront parfois. Au feuilleton de Ponton du Sérail succédera* La Vie romancée d'Eva- riste Malfroquet, plombier-zingueur de Louis XIV, *signé Paul Ravebavoux (d'une égale drôlerie), puis* Le Trésor de Lessiveuse-Bill, *par Fenicore Mooper et enfin* Les Gars de la 14ᵉ Escouade, *roman de guerre par le caporal-chef Bourgeron de la Gamelle. Roman de guerre, et aussi de circonstances.*

Depuis la création de L'Os à moelle, *en effet, l'Histoire, la grande, la majuscule, n'a guère chômé. Si l'organe officiel des loufoques se défend de faire de la politique ou même de suivre pas à pas l'actualité, les événements graves qui se suivent en l'an 1939 y sont pourtant sensibles, mais atténués, minimisés. L'optimisme, au fur et à mesure qu'augmente la tension, est plus que jamais à l'ordre du jour. Le 20 janvier 1939, sous le titre : « Présages, signes et impondérables », Pierre Dac prophétise :*

« En 1939, il se passera DES CHOSES, *vous m'enten- dez bien :* DES CHOSES ! *Comprenez-vous le sens caché et profond qui se dissimule sous ces mots, anodins en apparence, mais combien sibyllins en leurs déliés :* DES CHOSES ! *Et je puis encore vous affirmer que* CES CHOSES *ne seront pas les seules : par la force de la génération spontanée, elles donneront naissance à d'*AUTRES CHOSES *qui, elles-mêmes, provoqueront* DES CHOSES *qui n'auront qu'un rapport éloigné avec les* CHOSES *primitives qui auront engendré les* CHOSES *dont elles seront issues !... »*

Ce n'est pas nous qui avons souligné ce mot redoutable : des CHOSES !... *Il faut admettre qu'en fait de* CHOSES *les lecteurs de* L'Os à moelle *et tous les autres furent servis d'abondance. Tout comme les collaborateurs du journal, d'ailleurs, qui, pour la plupart, purent faire suivre leurs signatures de la mention « Aux Armées » et renouveler leur inspira- tion dans les bizarreries d'un conflit que même les esprits sérieux finirent par appeler la « drôle de guerre » !*

Mais tout a une fin ici-bas. Le dernier numéro de

L'Os *(le 108ᵉ)* sort de l'imprimerie le vendredi 31 mai 1940. Si l'on excepte quelques fugitives allusions à la cinquième colonne et à ses parachutistes espions, rien n'y transparaît de la situation d'alors, des préparatifs du formidable exode qui va jeter la moitié des Français sur les routes. Jusqu'au bout L'Os à moelle aura été fidèle à sa mission « non-sensique », à cet art « de demeurer volontairement sur la tête, et, ainsi placé, d'observer le monde à l'envers... » *(Robert Benayoun).*

Pour Pierre Dac, c'est une autre aventure qui commence, une aventure dramatique qui le mènera jusqu'à Londres via les geôles espagnoles. Il sera l'un des « Français qui parlent aux Français » et contribuera, avec ses refrains et ses slogans, à soutenir le moral des auditeurs clandestins. En août 1944, Paris libéré le voit revenir, sous l'uniforme du correspondant de guerre, et reprendre ses activités. Mais les temps ont changé !

L'Os libre *qu'il fonde et dont le premier numéro paraît le jeudi 11 octobre 1945 ne possède point la substantifique moelle du vieil* Os. *Certes, la bonne volonté des nouvelles recrues (Jean Nocher, eh oui ! Jean Bellus dont les pas sont incertains, Paul Vincent et bientôt Francis Blanche, Pierre Cour, Michel Seldow, Roméo Carlès, Jean Rougeul, Gabriel Macé, etc.) est évidente. Le feuilleton,* L'Assassin vient la bouche pleine, *roman policier d'Agatha Frichtie, délire gentiment. Mais, dans l'ensemble, le cœur n'y est pas et le ton vire constamment vers la satire du type* Canard enchaîné *sans en avoir, et de loin, le mordant. Cela n'empêchera pas* L'Os libre *de connaître le succès et de « tenir » plusieurs années.*

Bien plus que dans la collection complète de L'Os libre *(qui finit par s'éteindre), c'est dans un feuilleton radiophonique imaginé par Pierre Dac et Francis Blanche,* Signé Furax, *que l'on retrouvera, avec la même générosité, le même jaillissement spontané, les gags absurdes, l'abracadabrant, les non-sens, la* liberté de L'Os à moelle. *Pierre Dac a trouvé en Francis Blanche un disciple (qui deviendra un maître) à sa mesure. Ecrit et animé par le tandem en grande forme,* Furax *aura plusieurs milliers d'épisodes quotidiens, passionnément suivis. Ce qui prouve une fois de plus que le Français est beaucoup plus sensible à l'humour — à l'absurde, au non-sens, en tout cas — qu'on le prétend. Signalons encore que Pierre Dac composa deux romans habités des mêmes vertus :* Du Côté d'Ailleurs *et* Les Pédicures de l'âme, *avant de se consacrer presque exclusivement à son métier de fantaisiste et de comédien.*

Les textes qu'on va lire, donc, sont, à quelques rares exceptions près, issus du premier Os à moelle. Certains sont signés : Pierre Dac, Maurice Henry, Fernand Rauzena, Robert Rocca, etc. Pour les autres, pour les « avis », pour les « petites annonces », il est aujourd'hui pratiquement impossible de déceler quels en furent les auteurs. A L'Os, le travail était d'équipe, et chacun déposait sur le marbre de l'imprimerie ses trouvailles de la semaine avec un beau désintéressement. Au vrai, qu'importe l'anonymat ! Groupés autour de leur rédacteur en chef, les collaborateurs de L'Os à moelle *entendaient divertir ou, plus exactement,* « forger silencieusement mais efficacement le fier levain qui, demain ou après-demain au plus tard, fera germer le grain fécond du ciment victorieux, au sein duquel, enfin, sera ficelée, entre les deux mamelles de l'harmonie universelle, la prestigieuse clef de voûte qui ouvrira, à deux battants, la porte cochère d'un avenir meilleur sur le péristyle d'un monde nouveau ».

Connus ou inconnus, n'ont-ils pas pleinement réussi ?

MICHEL LACLOS.

MEDITATION

J'aime à méditer ; c'est un droit strict que personne au monde ne peut m'empêcher d'exercer ; je dois, à la vérité, reconnaître que nul jusqu'à ce jour ne s'est placé en travers de mes méditations, et c'est tant mieux, car s'il en était autrement je réagirais de manière terrible ; enfin, la question ne se pose pas puisqu'on me laisse méditer à ma guise. Donc, je médite, car je considère la méditation non seulement comme une excellente chose, mais aussi comme un dérivatif indispensable à l'équilibre tant physique que moral.

Remarquez que je ne médite pas à tout bout de champ, hors de propos, et n'importe comment ; la bonne méditation demande, pour être profitable, une sorte d'état de grâce et un cadre approprié à l'état méditatif. Personnellement, il faut que je médite au bord de quelque chose ; la chose importe peu ; l'essentiel est qu'il y ait un bord ; ah ! j'en ai déjà eu, de charmantes méditations : au bord de la mer, d'un ruisseau, d'un coteau, d'une fenêtre, d'un chapeau, d'une assiette creuse, etc.

Une des plus jolies méditations dont j'aie gardé souvenance est celle à laquelle je me livrai un soir de juin prématuré, c'est-à-dire vers le 22 mai, d'une année strictement de série ; c'était au bord d'un simple bord ; d'un brave et honnête bougre de bord qui ne donnait sur rien ; un bord, quoi, un bord individuel que je dénichai au hasard d'une promenade en wagonnet Decauville ; je m'installai là et regardai un long moment le firmament criblé d'étoiles, malheureusement voilé, ce soir-là, par d'énormes potées de gros nuages d'autant plus visibles que la nuit n'était pas encore complètement tombée, étant donné que la chose se passait vers les 15 h 45 de relevée et à proximité d'une manufacture de biscottes tièdes pour personnes atteintes de consomption digitale. Je revois ce charmant tableau comme si j'y étais encore ; je m'allongeai à demi sur le sol encore humide de la dernière avalanche ; un over-coat à poils durs, sorti subrepticement d'une proche vallée forestière, vint se coucher à mes pieds pour quémander un morceau d'ardoise que j'avais fort à propos emporté avec moi. Et petit à petit je m'enfonçai à perte de vue dans la plus profonde et la plus fertile des méditations ; je laissai errer ma pensée par-delà les méandres de la spéculation spirituelle et en arrivai bientôt à aborder le grave et universel problème du prix de revient du rouleau de papier peint ignifugé livré en cave, question non résolue, qui a passionné et passionnera probablement longtemps encore des générations d'hommes de chevaux.

Je ne saurais trop recommander à mes contemporains de pratiquer comme moi la méditation ; ils se sentiront devenir meilleurs et leur âme, au fur et à mesure de la marche du temps, s'évadera progressivement des étroites limites dans lesquelles nous tiennent enfermés les contingences quotidiennes d'une civilisation rétrograde, sinueuse et tronquée.

PIERRE DAC.

NOUS OFFRONS DES VACANCES...

Nous offrons des vacances à toute personne disposant de quinze jours à trois semaines de liberté, d'un endroit où elle désire se rendre et d'une somme suffisante pour couvrir les frais.

Se faire inscrire à nos bureaux : le premier mois est exigible à l'avance.

ORATEURS !

Orateurs qui désirez attendrir et charmer votre auditoire, ne mangez jamais de viande hachée, ça rend la parole coupante.

CIRCULATION

Le ministère de l'Intérieur nous prie de porter à la connaissance du public l'avis suivant :

« A partir du 18 juillet, les trottoirs d'en face devront être, sans exception, situés de l'autre côté de ceux auxquels ils font vis-à-vis. »

OFFRES D'EMPLOI

● **On demande** homme-tronc pour fondation arbre généalogique.

● **On demande dactylo** sachant broder pour faire des courses.

● **On demande** jeune gnome présenté par ses parents, connaissant bien nettoyage et travaux d'aiguille pour balayage printanier dans forêt de pins.

DEPLACEMENTS-VILLEGIATURES

● **Clocher** petit pays minier ayant bourdon effectuerait petit séjour littoral méditerranéen.

OCCASIONS SPECIALES

● **A vendre** jolie collection pots de vin. S'adresser n'importe qui, Hôtel de ville, Paris.

● **Besoin argent,** vendrais très cher objets sans grande valeur.

DIVERS

● **Ne perdez plus votre temps** en couvant vous-même vos grippes, rougeoles, etc. Louez notre couveuse électrique Mer' Poul'.

Arrangements pour famille nombreuse.

● **Locataires,** si votre appartement est nu, emplissez-le de terre. Le tombereau de terre meuble ordinaire, 1 000 F. Terre meuble à tiroirs sur commande et sur mesure.

● **Scieur de long** s'associerait avec scieur de large pour fabrication pavés de bois rectangulaires.

● **Monsieur** descendant et montant escalier 4 à 4, cherche appartement dans maison ayant 16, 20 ou 24 marches par étage.

● **Las de lavis,** suis acheteur d'aquarelles.

● **Cyclistes.** Fortifiez vos jambes en mangeant des œufs mollets.

A VENDRE

● **Peaux de hérissons** pour faire des planches à clous. Conviendraient à Fakir nécessiteux. Fakir Okoy.

● **Magnifique peau d'ours** livrable le jour de l'ouverture de la chasse. (On est prié de verser des arrhes.)

● **Pièce de rechange** pour animaux divers : Œil de bœuf, 7 F ; Queue de rat, 3 F ; Pied de biche, 9 F ; Tête de loup, 10 F ; Bec de cane, 11 F.

LE JEU DU CAFE AU LAIT
ET DU PAIN GRILLE

Ce jeu, récemment inventé par un humoriste anglais, est appelé à jouir d'une vogue certaine auprès des intellectuels. Il se pratique de la manière suivante :

Vous versez dans un bol ordinaire du café et du lait dans la proportion d'une louche à beurre de café pour un demi-muid de lait. Vous ajoutez trois morceaux de sucre ou un kilo de sel, suivant votre goût personnel et votre nuance politique. Vous faites griller du pain, vous le trempez ensuite dans le café au lait, vous le mangez en alternant avec des gorgées de liquide et quand vous avez fini, le jeu est terminé.

C'est très instructif et amusant et ça offre les mêmes avantages que le basket-ball, sans en avoir aucun des inconvénients.

LE JEU DU PEIGNE FIN
ET DE LA PELLE A CHARBON

C'est le jeu de salon par excellence : il demande du sang-froid, de la dextérité et de l'adresse. Il se pratique de la manière suivante :

Règle du jeu. — Les joueurs prennent place devant un poêle et ont derrière eux un tas de charbon ; sur un rythme de plus en plus accéléré, ils doivent prendre une pelletée de charbon et la mettre dans le poêle tout en se passant le peigne fin dans les cheveux. Il est extrêmement rare qu'au bout d'un instant on ne voie pas la majorité des joueurs prendre le charbon avec le peigne et se peigner avec la pelle à charbon. C'est extrêmement divertissant et ça fait beaucoup rire.

CONTROLEZ ET MAITRISEZ
VOS REFLEXES EN JOUANT
AUX MORILLES A LA CREME

Le jeu des morilles à la crème n'est pas seulement un amusant divertissement destiné à faire paraître plus courtes les longues heures des soirées d'hiver ; c'est également un remarquable excercice de self-contrôle et un puissant générateur de sang-froid. Qu'on en juge.

Ce jeu se joue entre cinq partenaires et un meneur de jeu. Les cinq partenaires sont rangés côte à côte le long d'un mur ; devant eux, et à 3,66 m, se tient le meneur de jeu, ayant à sa droite un guéridon sur lequel est posé un récipient contenant une honnête quantité de morilles à la crème. A un signal donné, ce dernier plonge une louche dans le récipient et projette une bonne portion de morilles dans la direction de ses partenaires, en prenant soin de viser à la tête. C'est à ce moment qu'intervient le facteur sang-froid ; en effet, la première fois que vous participerez à une partie de morilles, votre réflexe normal sera d'esquiver la potée qui vous est destinée ; le jeu consiste, au contraire, à éviter ce réflexe : en conséquence, est proclamé gagnant celui qui, en fin de partie, aura reçu le plus de morilles à la crème.

Il est hors de doute que ce jeu arrivant à son heure exercera une influence salutaire sur la santé psychique de la nation en un moment où s'affirme chaque jour davantage la ferme volonté de juguler les passions partisanes et les forces mauvaises de désagrégation.

LE JEU DE LA CASQUETTE ET DU COMPTE-GOUTTES

Ce jeu, tout nouveau, fera très probablement fureur cet été sur les plages et ailleurs. Il est à la portée de tous et peut se pratiquer sans crainte de froisser les opinions ou convictions religieuses.

Règle du jeu. — Prendre une casquette, une casquette courante, enfin une bonne casquette, quoi. La mettre dans une casserole et la faire fondre à feu doux. Quand elle est complètement liquéfiée, la vider à l'aide d'un compte-gouttes dans un autre récipient, que l'on placera dans un frigidaire : la casquette retrouvera ainsi en peu de temps sa consistance première.

L'habileté consiste, au moment du transvasement par compte-gouttes, à ne pas prendre une goutte de visière en même temps qu'une goutte de coiffe ou de doublure, car alors, au moment de sa reconstitution, votre casquette offrirait l'aspect malencontreux d'une clef à molette ou d'un coffre à bois.

Donc : habileté, adresse, psychologie, patience, voilà ce que nécessite le nouveau jeu de la casquette et du compte-gouttes.

THE UNIVERSAL DISTRACTION

Ce jeu, amusant au possible, est accessible à tous et à toutes : il se pratique où l'on veut et comme l'on veut, avec n'importe quoi et n'importe qui.

Le nombre des participants est variable et peut aller de 1 à 365 000 ; au-delà de ce chiffre, le jeu risque de tourner à la pagaille.

C'est le jeu jeune par excellence. Adonnez-vous-y ! Ne boudez pas contre votre plaisir !

LE JEU DES 32 DRAPS

1º Le jeu est de 32 draps.

2º Chaque drap a sa valeur propre, ou sale, selon son état, sa qualité et son ornementation.

3º On joue communément à 4 ou à 128 joueurs, mais plutôt à 6.

4º On donne 5 draps par joueur.

5º Celui qui met a le droit de mettre à fil, à coton, à brodé, à jour, à nylon, etc.

6º On bat, naturellement, le jeu de 32 draps comme un jeu de cartes ordinaire ; on coupe et on retourne de même.

7º Chaque partie se joue ordinairement en 400 points de feston ou en 200 points de bourdon (le point de bourdon comptant double).

8º Chaque fois qu'un joueur ramasse, il fait un pli ; quand il a fait 10 plis, il a gagné.

9º Avant une seconde partie, il convient de donner un coup de fer au jeu pour le remettre en état.

10º Tout joueur qui essaie de couper irrégulièrement avec une taie d'oreiller est automatiquement mis hors jeu.

11º La tierce se compose de : 1 drap de lin, 1 drap de coton et 1 drap reprisé.

12º L'usage des draps marqués est formellement interdit et n'est, d'ailleurs, pratiqué que par des tricheurs professionnels.

LE HOMME-TRAINEUR

Le homme-traîneur est un jeu appelé à un très grand retentissement ; il est rationnel, équilibré et propre à développer les qualités de décision, d'initiative et d'endurance.

Il se joue à deux et se pratique de la manière suivante :

L'un des deux joueurs s'allonge complètement sur le sol et sur le dos ; son partenaire le saisit par les pieds et le traîne sur un parcours de 100 mètres ; à ce moment on intervertit l'ordre des facteurs : l'homme couché se relève et traîne à son tour, sur un nouveau parcours de 100 mètres, son coéquipier qui s'est étendu sur le carreau et sur le ventre. Et ainsi de suite ; le parcours moyen et la durée générale d'une partie de homme-traîneur sont variables et subordonnés à l'appréciation des joueurs qui sont seuls juges en la matière.

LE JEU DU SEAU D'EAU

Voilà un jeu qui va faire fureur cet été un peu partout ; il se pratique de la manière suivante :

a) *Lieu :* autant que possible, la salle de jeu doit être située au moins au deuxième étage.

b) *Préparation :* emplir d'eau propre ou polluée un bon seau d'une contenance minimum de quinze litres ; cette opération effectuée, ouvrir la fenêtre.

c) *Exécution :* jeter violemment l'eau contenue dans le seau dans la rue et se rejeter immédiatement en arrière.

d) Attendre et écouter. Si aucune réaction ne se produit, vous avez perdu. Recommencez alors l'opération.

e) Si la chute de l'eau est suivie d'un cri, vous marquez 10 points.

f) Si plusieurs cris se font entendre, vous marquez 15 points.

g) Si ces cris se traduisent en hurlements mêlés de qualificatifs allant de saligaud à tête de lard fumé, vous marquez 50 points.

h) Et si, enfin, la police monte chez vous, vous marquez 100 points et vous êtes déclaré hors concours.

Voilà de quoi rire et s'amuser honnêtement en développant ses facultés d'observation et ses dons de la balistique.

PETITE RECETTE

Pour trouver une aiguille dans une botte de foin :
Vous brûlez la botte de foin, l'aiguille apparaîtra et, qui plus est, flambée.

AUTOMOBILISTES, ATTENTION !!!

A dater du 1ᵉʳ avril et afin de rendre plus aisée la surveillance aux frontières, tous coffres et malles arrière devront être placés à l'avant des voitures.

LA SURTAXE DES CELIBATAIRES

Un décret-loi vient d'instituer une nouvelle surtaxe frappant les célibataires. Bien ! Mais n'est-il pas à craindre que certains assujettis cherchent à échapper par un mariage opportun à leurs obligations fiscales ? Alors, qu'est-ce qu'on attend pour frapper d'une sursurtaxe les célibataires qui se marient ? Rien de tel pour les faire réfléchir.

OFFRES D'EMPLOI

● **Médium** cherche courroie de transmission de pensée.

● **Fabrique de moteurs flottants** cherche mètre nageur pour prendre des mesures sous l'eau.

● **Bibliophile anglais** cherche comme secrétaire géomètre très au courant des volumes. Appointements seraient réglés en livres.

ANNONCES FÉÉRIQUES

● **Belle au Bois-Dormant** désire être réveillée par Prince Charmant le 7 avril 1969, à 9 heures, avec café au lait complet.

● **Mère-grand** remplacerait bobinette et chevillette par solide verrou dernier cri. Faire offres.

AVIS ET CORRESPONDANCES

● **Philatéliste** distingué s'intéresserait à voix ayant beaux timbres. Maîtres-chanteurs s'abstenir.

● **Renard bleu** désire entrer en relation avec ours blanc ou perdrix rouge pour défiler le 14 Juillet. (Tenue de campagne.)

● **Prière** à la personne qui, ayant eu, par erreur, TRU 743-72, m'a injurié, de rappeler. J'ai trouvé la réponse qui convient. B.

● **Pour tous vos incendies,** consultez la caserne Carpeaux. Matériel premier choix, pompiers stylés. Prix modérés. On se rend à domicile.

● **Ernestine.** Tu m'as dit que la clef était sous le paillasson. Ai trouvé la clef, mais pas le paillasson. Où est-il ?

ECHANGES

● **Mite sportive** échangerait tapis billard contre velours laine, à grandes côtes, pour faire alpinisme.

● **Me moquant** du tiers comme du quart, les échangerais contre un bon demi.

● **Auteur dramatique** échangerait pièce en 4 actes contre 3 pièces et une cuisine.

COURS ET LEÇONS

● **Apprenez l'équitation** par correspondance. Pour le galop, se référer à la brochure concernant le trot mais en la lisant trois fois plus vite.

● **Cours** de correspondance par correspondance.

SI JE VOUS EN PARLE
C'EST PARCE QU'IL FAUT BIEN
QU'ON EN CAUSE

Je m'excuse tout d'abord d'intituler cet article de la manière ci-dessus, mais c'est la seule façon de faire comprendre de quoi je vais vous entretenir, comme disait le maréchal-ferrant qui chassait l'huître à poils durs dans un dancing en plein air du lac Baïkal.

Or, de quoi vous parlerai-je, si ce n'est pas la chose qui nous occupe présentement, c'est-à-dire de la situation ?

Mais, rassurez-vous, je ne vous en parlerai pas dans le mauvais sens : d'ailleurs, à tout prendre, il n'y a pas de mauvais sens, sauf peut-être quelquefois dans le bon, mais cela dépend de la sauce à laquelle on le traite et de l'idée qu'on s'en fait.

Donc, à l'heure actuelle, et à de rares exceptions près, tout le monde s'occupe de la situation ; remarquez que ça part d'un bon naturel et de l'Europe centrale, mais ça n'explique rien. Ce que je m'explique encore moins, c'est la tête que font bon nombre de nos concitoyens ; c'est véritablement décourageant.

Les gens qu'on croise dans la rue ont les cheveux égarés, les yeux en broussaille, l'air en dehors, les pieds en dedans, enfin une allure peu en rapport avec le courage et la dignité. Quand un type éternue bruyamment, on voit des groupes entiers pris de panique courir pour aller se réfugier dans les proches abris. Tout de même, il y a des limites ! D'autres sont tellement énervés que, lisant leur journal à l'envers et n'y comprenant rien, ils arpentent la chaussée en hurlant : « Nous sommes vendus, les journaux sont imprimés en langue allemande ! »

En voilà assez ; il faut que ça change, et ça va changer ; c'est pourquoi je me suis décidé à écrire ce qui précède et ce qui va suivre, sans préjudice de ce qui est au milieu.

Allons, voyons, qu'est-ce qui ne va pas ? Qu'est-ce qu'il y a ? J'espère tout de même que ce n'est pas ce malheureux petit malentendu balkanique qui oblitère à ce point l'entendement humain ? Oui, oui, je sais ce que vous allez m'objecter, qu'il y a vraiment de quoi se ronger les sangs, et que... — « Non, que je suis prêt à vous répondre, il n'y a pas de quoi. — Mais pourtant, allez-vous réitérer. — Il n'y a pas plus de pourtant que de beurre blanc dans le savon noir » que je vous réitérerai à mon tour, comme étant et parlant au nom de ceux qui estiment que le sine qua non n'est pas forcément beau-frère du modus vivendi.

Mettez-vous bien dans la tête, et une fois pour toutes, que la presse d'information tout entière, quels que soient ses moyens d'investigation, *ne sait absolument rien* !

Les seuls qui soient au courant, *c'est nous* !

A la demande du gouvernement, j'avais promis de ne rien révéler ; la gravité des événements et le trouble de mes concitoyens m'obligent à sortir de ma réserve. Sachez donc que, personnellement, je me suis occupé de la situation avant même qu'on la soupçonne ; ces jours-ci et les jours suivants, j'ai vu *tous ces messieurs* ! Vous voyez de qui je veux parler ? Et je n'ai pas vu qu'eux, j'ai vu aussi les autres. Nous avons procédé de part et d'autre en même temps que d'autre part à un large échange de vues ; j'ai donné tout ce que j'avais comme vues du Massif Central et du boulevard de la Chapelle, et ces messieurs m'ont remis des vues de chez eux.

En outre, j'ai insisté sur la nécessité absolue d'accepter mes propositions ; *ces messieurs* m'ont répondu qu'ils étaient pleinement d'accord avec moi et qu'ils ne tiendraient aucun compte de mes suggestions.

Vous pouvez ainsi vous rendre compte que l'affaire est en bonne voie. En conséquence, je ne veux plus voir de visages renfrognés ; je veux que le sourire réapparaisse et que la bonne humeur, fille aînée de la puissance tranquille, continue à régner parmi les parties contractantes et similaires.

Et je terminerai en citant Plaute — qui d'ailleurs n'y est pour rien, mais j'estime qu'il vaut mieux le citer que citer quelqu'un en justice de paix : si la discipline fait la force principale des armées, le sourire est le reflet de la force morale du pays dont auquel et par lequel il est inféodé.

PIERRE DAC.

OFFRES D'EMPLOI

● **On demande** concierges connaissant lingerie pour tailler bavettes.

● **On demande** Monsieur ne sachant pas lire, possédant belle écriture pour travaux copie textes secrets. S'adresser au 2e Bureau.

● **Importante manufacture de marteaux** demande ouvriers qualifiés pour faire le manche.

FARCES ET ATTRAPES

● **Véritable revolver.** Imitation parfaite d'un jouet inoffensif (effet impossible à décrire), 175 F.

● **Faux papiers pour faire rire les gendarmes** qui vous arrêtent sur les routes, l'assortiment, 12,70 F. Pansements, teinture d'iode, albuplast, etc. : supplément, 3 F.

OCCASIONS

● **A vendre pour cause divorce ;** thermomètre centigrade, état neuf, tous courants, marquant d'un côté Réaumur et de l'autre Sébastopol.

A céder : thermomètre médical, double pour ménage : 9 F.

● Modèle multiforme pour famille nombreuse ou ville de garnison : 11 F.

Le même, avec prise pour pick-up : 12,75 F.

● **Cours des marrons,** communiqués par l'Auvergnat du coin :

Chauds les marrons, les 8, dont 7 pourris : 1 F.

Marrons glacés avec frigidaire. La boîte : 435,26 F.

Marron clair. Le mètre : 19,50 F.

Marron foncé. Le centimètre (teinture en sus) : 0,95 F.

Marron d'Inde, le flacon : 3,69 F.

Dinde aux marrons la cuisse (boisson non comprise) : 8 balles.

PROPOSITIONS SPECIALES

● **Jolie scie à ruban** cherche lame sœur pour débiter des petits riens.

● **Boîte aux lettres** fatiguée et un peu paresseuse demande levées tardives.

OCCASIONS SPECIALES

● **A vendre,** cause double emploi, superbe dolmen état neuf. Ecrire R.S., Ker Patétu (C.-du-N.).

QUI S'OCCUPE
DU MOUVEMENT DES MAREES?

Ce n'est nullement poussé par une trouble et malsaine curiosité que nous posons cette question, en apparence saugrenue, mais combien profonde dans le sens latéral.

Eh oui! nous le demandons, poliment mais fermement : qui s'occupe des marées? Car enfin, il y a bien quelqu'un qui s'en occupe; le flux et le soi-disant reflux ne se font pas tout seuls; alors qui? Où est le responsable? Nous serions particulièrement heureux de le connaître pour lui dire deux mots. Oh! gentiment, courtoisement mais énergiquement. Car, tout de même, depuis le temps que la mer va et vient dans une perpétuelle indécision, il serait grandement temps que cette situation instable prît fin; nous vivons une époque trop positive et objective pour que pareil état de choses se prolonge plus longtemps : ou la mer s'en ira — et on n'en parlera plus — ou elle restera et nous prendrons alors vis-à-vis d'elle les responsabilités qui nous incombent; voilà pourquoi nous demandons aimablement : qui s'occupe des marées? Allons, qu'on nous réponde vite, sans quoi nous-même ne pourrons plus répondre de ce qui pourra s'ensuivre.

LEOPOLD LAVOLAILLE.

LA STATISTIQUE

Voici les chiffres communiqués par les services de la statistique et intéressant la période comprise entre le 2 juillet et le 4 septembre :

543 285 ; 6 282 826 ; 1 285 938 743. 601 ; 602 ; 603 ; 604 ; 605 ; 106 ; 206 ; 306 ; 406 ; 506 ; 983 ; 882 ; 780 ; 680 ; 579.

Nous ne savons pas du tout à quoi se rapportent ces chiffres, mais nous sommes heureux de les communiquer à nos lecteurs qui auront ainsi toute latitude de les adapter suivant leur goût ou leur appréciation...

BONS VIVANTS ! GOURMETS !
AMIS DE LA BONNE CHERE !

Méfiez-vous des hostelleries, restaurants et bouchons qui, pour attirer le chaland qui passe, annoncent : « Ici, on mange comme chez soi. »

Parce que si c'est pour manger comme chez soi ce n'est pas la peine d'aller ailleurs.

D'autant que, dans ces conditions, en cassant la graine chez vous, vous mangerez comme au restaurant.

L'ESCLAVAGE N'EST PAS MORT

Je croyais jusqu'à ces temps derniers, et sur la foi des conquêtes sociales issues de la Révolution française, que l'esclavage était aboli.

Naïve était ma candeur et saugrenue ma puérile confiance. Il n'en est rien : l'esclavage subsiste toujours, d'une manière particulière, certes, mais néanmoins agissante et positive.

Ce qu'il y a d'effrayant, c'est que cette forme d'esclavage s'étale cyniquement, publiquement, au grand jour, sans même se donner la peine de se dissimuler.

Je pensais sincèrement n'avoir jamais à reprendre la plume pour protester contre de pareilles pratiques que j'étais en droit d'estimer définitivement révolues. La dernière croisade que j'entrepris dans cet ordre d'idées remonte à un an et demi environ ; j'écrivis à cette époque un virulent article intitulé : « Libérez les ballons captifs. » Tous les hommes de cœur, y compris ceux de trèfle et de carreau, m'encouragèrent dans cette campagne, car, comme moi, ils avaient compris la honte qui rougissait le front de la société, responsable du maintien dans un honteux servage de malheureux ballons auxquels il manquait la parole pour se défendre et faire prévaloir leurs droits à l'égalité de traitement avec les autres ballons.

Satisfaction me fut donnée ; il n'y a plus de ballons captifs ; seules subsistent des saucisses reliées au sol par des cordes. Mais il y a aussi loin d'une saucisse ficelée à un ballon captif, que d'un harmonium à un chapeau Cronstadt.

Et voilà que ça continue ! Et voilà qu'il me faut repartir en guerre contre d'abominables abus ! Car, citoyens, il y a encore des taxis qui ne sont pas libres ! En pleine démocratie ! En plein épanouissement de la civilisation !

C'est comme j'ai la douleur de vous le dire ; je me suis livré à une enquête très serrée ; à diverses reprises, j'ai hélé un taxi, et non pas une fois mais dix, le chauffeur m'a répondu en baissant la tête et son drapeau : « Pas libre. » Le malheureux, en proférant ces mots, semblait accablé par le poids d'un immense chagrin et ses yeux me faisaient comprendre à mi-voix l'injuste arbitraire d'une pareille situation.

Eh bien ! non, ça ne continuera pas ! Il faut que ce scandale cesse ! Qu'au temps du Moyen Age il y ait eu des taxis pas libres, ça s'explique ; mais pas maintenant. Il faut que les Chambres se réunissent au plus tôt en séance publiquement secrète ou secrètement publique, à leur choix ; il faut qu'elles votent de toute urgence une loi accordant la liberté totale, pleine et entière aux taxis. Nous voulons, nous exigeons que cette réforme soit effectuée dans les quarante-huit heures ; nous voulons que, lorsque nous appellerons un taxi et que nous demanderons au chauffeur : « Etes-vous libre ? » celui-ci puisse nous répondre fièrement : « Oui, je le suis ! »

Et ce « Oui, je le suis » sonnera comme une clameur de triomphe et comme une revanche inéluctable sur un passé périmé qui ne doit plus renaître.

Alors, quand à nos oreilles ne résonnera plus ce lamentable « pas libre », quand les drapeaux des taxis flotteront audacieusement au vent et que les compteurs ne compteront plus que sur eux-mêmes, alors, mais alors seulement, nous pourrons être fiers d'être les fils d'une démocratie qui, à ce moment, pourra hautement se vanter d'être la belle-sœur par alliance de la République et de son indéfectible destin.

Libérez les taxis ! A bas l'esclavage !

Tout le monde doivent être égaux !

PIERRE DAC.

LE TABAC EST ENCORE AUGMENTE...
Alors...
FUMEZ DU SAUMON

Non seulement vous réaliserez une économie, mais encore vous ménagerez vos efforts, puisque vous trouverez du saumon déjà fumé.

IMMOBILIER

● **A vendre** : très joli château d'époque intermédiaire, 150 m de la gare de Paluche-les-Broches, grande salle de séjour 275 m sur 3. Très belle chambre commune 79 lits, 15 chambres de bonnes, 9 de mauvaises, Eau chaude, eau froide, eau bouillie, eau minérale, eau dentifrice. Parc à huîtres. Trésor caché. W.-C. à musique. Piscine couverte pour servir de parking. Chauffage central à l'huile d'olive lourde, 4 salles de bains équipement ultramoderne système laverie municipale. Bon état. Prix : 267 669,70.

ANNONCES HISTORIQUES

● **Soyez poli avec vos adversaires.** Lisez « Faites donc », recueil complet de la galanterie militaire. En vente sur tous les bons champs de bataille et chez le maréchal de Saxe, à Fontenoy.

● **Vous qui partez** pour la Croisade, faites-vous habiller chez Godefroy de Bouillon, le spécialiste du veston « Croisé ».

OCCASIONS

● **Impondérables** de première qualité : 39,90 F les trois. Le même mais de lapin, la pièce : 14,50 F.

● **Porte-monnaie** étanche spécial pour argent liquide.

● **Paire de jumelles** bon état pour cause double emploi. S'adresser à la Maternité.

● **A vendre.** Marteau à casser la croûte V. Ronèze, artiste-peintre, Montparnasse.

AVIS ET CORRESPONDANCES

● **Mademoiselle, Madame, Monsieur,** si vous aimez vraiment les oiseaux, achetez sans hésiter nos cages sans barreaux. Elevages Haucrix et Hallagru.

● **Allées à sens unique** désireraient entrer en relations avec « venues » également à sens unique mais contraire afin de créer un va-et-vient susceptible de donner une plus-value à certains commerces vivant du passage.

ECHANGES

● **Souffrant insomnie,** échangerais matelas de plume contre sommeil de plomb.

LES NOCTURNES DU CHAPEAU
(Clef des songes)

Vous savez bien que chaque rêve a sa signification, mais comment la découvrir quand on ne
connaît pas une bonne méthode d'interprétation ?
En voici une parfaite. A chaque mot que vous avez
rêvé correspond le sens de votre songe.

Alinéa : Si l'on rêve d'un alinéa mâle, bonheur
dans la maison. Si l'alinéa est femelle : traite sans
provision.

Alligator : Si l'alligator a le nez rouge : vol
d'habits. Si ses genoux sont cagneux : vous rencon-
trez une personne plus âgée que vous qui vous
demande en mariage, mais soit par intérêt, soit par
un clair matin de printemps, vous refusez la main.

Anémone : En avoir sur les pieds : signe d'esprit
poétique. En étaler sur du pain : fuite de gaz.

Angélique : Si les fleurs sont rouges : vous aurez
des instincts brutaux et ferez marcher vos proches
parents sous l'œil vigilant d'un fouet. Si ses feuilles
sont abondantes : doutes, certitudes, hésitations,
décisions.

Aspidistra : Envoi de fleurs.

Autruche : Voir une autruche qui vous dévore :
asthme ou surdité. La tuer en lui crachant des

flammes : achat d'un vélo d'occasion. Dîner avec une autruche : ruine complète d'un oncle.

Aviculteur : Chance au jeu.

Babouche : Rêver d'une babouche est toujours signe de coliques néphrétiques. Rêver de deux babouches : vous refaites faire votre voiture. Perte d'une babouche : votre matelassier est un voleur.

Bachi-bouzouck : S'il est attelé à un char : ne mangez plus d'œufs. S'il déchire les habits : le froid engourdissant vos doigts vous empêchera de bien former vos majuscules sur une machine à écrire.

Baldaquin : Découverte d'un puits de pétrole. Si le baldaquin a des cornes depuis les pieds jusqu'à la tête : désobéissance de votre bonne. Si le baldaquin fuit : morsure de chien.

Barbe : Une barbe qui brûle : un prince ou quelque grand seigneur va vous gifler, lâchement, de ses cinq doigts mais sans témoins. Barbe parsemée de fleurs : découverte de la vérité. Jeune fille avec barbe : illusions. Si l'on songe pêcher une barbe comme une truite : lettre recommandée.

Beaux-parents : Chute de cheval.

Biniou : Banqueroute dans laquelle seront compromises des personnes que vous ne connaissez pas.

Bouledogue : Boursouflure sous l'œil.

Byzantin : L'éplucher comme une pomme : vilain caractère. Lui parler comme à un enfant : calvitie.

Cabestan : Lorsque le cabestan fait du remue-ménage dans la cave : vous serez décoré, mais si le cabestan vous parle poliment, ce sera le contraire.

Cache-poussière : Abus du café.

Cacophonie : Si vous dormez la bouche ouverte, rêver de cacophonie est signe de démangeaisons. Si vous êtes gaucher, un songe à base de cacophonie indique toujours la destruction par la grêle d'une récolte de farineux. Si vous combattez la cacophonie à coups d'épingle : vous allez rapidement devenir laid.

Cadenas : Songer que l'on a dans le ventre un cadenas furieux à cornes de bœuf : changement de domicile. Quand un cadenas est en forme de moitié femme et moitié serpent : vous serez incarcéré pendant vingt ans, mais vous épouserez la fille du gardien-chef. Cadenas ruant comme un cheval : garden-party. Cadenas enflé : goût pour les arts.

Cage : Tendance à la boulimie. Cage servant de kiosque à musique : poursuites judiciaires au bord de la mer. Si vous construisez une cage avec des restes en jurant comme un pompier : fiançailles rompues.

Cave : Rêver qu'une jeune fille ouvre la porte de la cave en nettoyant des cuivres : angine.

Clafoutis : Rendez-vous nocturne. Clafoutis faisant de la gymnastique : mariage d'inclination. Sauter par-dessus un clafoutis : obstacle déjà vaincu.

Colophane : Lui dédier des vers : diminution de votre argent de poche. Lui commander un costume de velours : vous attristez vos parents.

Colporteur : Voyage au Tyrol. Colporteur avec des reflets d'opale sur le nez : votre fils aura de l'acné, votre fille aura du charme.

Combustible : On vous fait cadeau d'un paillasson.

Commandant : Mentir à un commandant : voyage souterrain. Avoir un commandant dans le cœur : pieds gonflés. Un commandant vous donne un paquet de réglisse : achat d'un clapier.

Cornet à piston : En offrir un à la cousine d'un

notaire : vous subirez un affront. En dépouiller un comme un lapin : compère-loriot chronique.

Coupe-cigare : Votre concierge va divorcer.

Coupe-fil : Votre chien fidèle vous vole honteusement.

Coupe-légumes : Perte de mémoire après Pâques.

Couleuvre : La période que nous traversons sera très fertile en rêves à base de couleuvres. Ils sont très maléfiques surtout lorsqu'on dort avec un corselet de fer. Ils peuvent, au contraire, apporter fortune, santé, bonheur, si l'on est grand mangeur de biscottes. Voir une couleuvre qui vous lave les joues avec un faubert : réussite dans votre maison en dépit d'une canalisation crevée. Couleuvre se maquillant comme une femme : percepteur intraitable. Si vous dcmandez à une couleuvre de vous donner un coup de main pour bêcher votre jardin : bonne récolte aux îles Marquises. Quatre couleuvres jouant au loto dont une qui triche : vous sentirez l'ail lors de votre prochain bal blanc.

Pour conjurer les rêves dans lesquels intervient la couleuvre : pierre dure, savon noir, gant de crin, poudre verte.

Courbature : Quand une courbature vous parle grossièrement sans ôter son chapeau, surveillez votre tension artérielle. Une courbature enveloppée de voiles et pleurant comme une Madeleine : idylle de courte durée se terminant par une scène d'ivresse et une note de frais.

Si, comme le cas est rare, on rêve qu'une courbature grimpe sur le toit et crache dans la cheminée, il faut immédiatement se réveiller et téléphoner à Police-Secours, car on vous vole votre vin rouge et on teint en rouge votre vin blanc pour donner le change. Ne faites jamais part de ce genre de rêve à aucun de vos amis, car vous verriez aussitôt ses cheveux se détacher et tomber dans votre assiette, ce qui ne serait pas fait pour vous donner de l'appétit, surtout au cas où vous seriez en train de prendre votre repas. Pour conjurer un songe à base de courbature : pierre molle, pierre ponce, salicylate, boisson chaude.

Courtepointe : Votre épouse vous fait cadeau d'un pantalon en coutil qui vous déplaît par son ampleur.

Couturière : Voyage en Beauce.

Couvre-nuque : Si le couvre-nuque vous implore avec une voix de rogomme : indigestion. Deux couvre-nuques jumeaux, l'un petit et laid, l'autre semblable : vous serez général si vous êtes militaire. Vous serez souffrant si vous êtes notaire. S'il vous arrive de rêver d'un couvre-nuque essayant de vous faire chanter, n'y prenez pas garde car ce rêve n'a aucune signification.

Echalote : Fourberie d'un dictateur. Présenter une échalote à un minus habens : votre femme, en secret, vous ruine en parfums. Lire dans le cœur d'une échalote comme dans un livre : panne de téléphérique.

Echasse : Vous vous battrez en duel armé d'un cul de bouteille contre un adversaire armé d'un cul-de-sac.

Eclipse : Cuisine lyonnaise. Etre attaqué dans un bois par une éclipse en fureur : pieds sensibles. Rencontrer à l'aurore une éclipse qui cueille des coquelicots aux Buttes-Chaumont : nez cassé mais suivi d'un mariage d'amour retardé au sujet d'une somme de quatre-vingt-deux francs.

Eclusier : Un éclusier adulte indique toujours un anticyclone dans les régions rocailleuses. Offrir un cigare à un éclusier : méfiez-vous des mites.

Ecrevisse : Jouer avec une écrevisse attachée à un élastique : brûlures d'estomac. Inviter une écrevisse à passer le week-end : changez de blanchisseuse au plus vite, car c'est une mauvaise camarade. Chanter, en s'accompagnant d'une écrevisse comme d'une guitare : amour prochain d'une durée de quarante-deux jours.

Laminoir : Ne soyez plus désespéré, car une fraiseuse va vous rendre visite, d'une part, et l'argent que vous lui avez prêté d'autre part.

Lapin : Un lapin élevant des vers à soie : un voyageur lointain va vous rapporter une orange. Le songe à base de lapin le plus bénéfique est lorsque vous voyez un lapin de bonne éducation et sorti dans les premiers de l'Ecole d'Hydrographie s'élever dans les airs en portant une nacelle, comme un ballon libre. S'il s'arrête sur un nuage pour vous lancer des fleurs : mariage d'amour et un peu de rhumatisme. S'il atterrit dans un champ de maïs : vous allez vous couper averc une boîte de sardines. Lorsqu'un lapin s'entête à préférer la locomotive à la philatélie : vous ne porterez plus que des cravates toutes faites.

Limousine : Voir bégayer une limousine : accroc à votre paletot. Une limousine qui se mouche bruyamment : surveillez votre grand-mère qui fume trop pour son âge.

Linotte : Si vous rêvez qu'un soir, attardé dans un monte-charge, vous vous prenez de querelle avec une linotte qui vous arrache brutalement soit les boutons du veston, soit le lobe de l'oreille : vous hériterez bientôt d'une ventouse. Une linotte qui revêt illégalement l'uniforme du cadre noir de Saint-Cyr : boulimie.

Lion : Un lion qui repasse un plastron empesé comme une blanchisseuse : petits boutons sur le nez. Quatre lions ensemble, riant comme des bébés : éclatement d'un pneu. Manger à la vinaigrette un lion : perte d'un grand de la terre. C'est en rêvant qu'il mangeait un lion sauce rémoulade que l'archevêque Angello Catto connut la mort de Charles le

Téméraire, qu'il annonça au roi Louis XI à la même heure qu'elle était arrivée.

Liqueur : Etant sur un tandem avec un pharmacien habillé en lansquenet et être poursuivi par un flacon de liqueur qui se moque publiquement de vous : bonne digestion. Liqueur boudeuse et capricieuse : si vous êtes musicien, une vipère se glissera dans votre basson.

Liseron : Rêver que l'on porte sur le front deux liserons dont l'un rit et l'autre pleure : en vous penchant à la fenêtre, vous allez perdre votre fortune. Une belle femme rousse se mettant des liserons autour des yeux : le café vous est nocif.

Lithographie : Apercevoir dans une forêt une lithographie géante qui hurle et fait trembler les chênes : progrès de votre enfant si vous n'en avez pas. Lithographie dormant dans un fauteuil : vous allez avaler une arête.

Logicien : Par méprise, prendre un logicien pour un biscuit à la cuiller et le tremper dans du vin : les joues de votre plus proche notaire vont devenir pendantes comme des favoris. Un logicien jouant aux courses : vol d'une pompe hydraulique.

Loto : Rêver de loto : vous achèterez un pyrogène.

Louis XV : Prendre Louis XV pour une botte d'oignons nouveaux et le faire revenir dans la poêle : votre femme se coupera en se rasant les jambes et vous en rirez sottement jusqu'à l'heure du repas, à moins qu'une averse vienne interrompre brusquement ce déjeuner sur l'herbe. Si Louis XV apparaît, mais avec la voix de Louis XI et la signature de Louis XIII : vous serez injurié par votre fils qui, pris de remords, ce fera sommelier. Se mettre Louis XV sur la tête : votre concierge sera puni de son orgueil.

Lumignon : C'est le songe préféré des grands aventuriers ou des explorateurs de première classe.

Un jour, Magellan s'endormit par désœuvrement et vit en songe un lumignon vorace qui lui tirait les cheveux de la même manière que l'on effeuille une marguerite. Magellan, qui était loin d'être commode, rentra sa mappemonde dans l'œil du lumignon (toujours en songe, bien entendu). Le lendemain, Magellan bien réveillé et rasé de près, passant par hasard dans une rue de la bourgade, découvrit le fameux détroit qui porte son nom.

Lycopode : Un petit lycopode narguant un régiment de gardes mobiles caché derrière une bouquetière : vous aurez, le jeudi soir, un battement dans le mollet qui sera la risée de votre fiancée. Lycopode sans suite dans les idées et ayant, naguère, fait de mauvaises affaires dans les salaisons : le surmenage vous guette.

Massepain : C'est le rêve de vacances par excellence, il sera très fréquent, sauf pour les jeunes femmes rousses (d'après Mac-Mahon).

C'est un rêve très bénéfique et très facile à cuire si on a un bon four.

Rêver qu'on part de bonne heure avec le marchand de tabac du village voisin pour faire une croisière à bord d'un massepain : pluie ou vent. Si l'on rêve que le massepain vous oblige à manger des œufs durs : vous allez jouer au billard japonais avec un Ecossais. Si le massepain tient des propos trop scientifiques pour son âge : voyage probable de votre bonne à Versailles.

A noter que le grand Frédéric n'a jamais rêvé du massepain, ce qui expliquerait bien des choses.

Mastic : C'était le songe préféré de l'impératrice Joséphine lorsqu'elle habitait La Malmaison. On voit donc que le mastic est fait, autant que le massepain, pour les vacances.

Si vous rêvez que le mastic vous dit d'une voix mauvaise : « J'en ai assez, je m'en vais ! » et fait sa valise : une danseuse de cordes vous aime et vous demandera des filets d'anchois. Quand le mastic mange des hors-d'œuvre : malgré vos cinquante ans, votre père va vous gifler. Ne plus savoir ce que l'on a fait du mastic : verre brisé. Quand le mastic attaque une diligence sur une route bordée de montagnes de corail : vous allez être obligé de changer de boulanger.

Pouding : S'il est bleu avec un corselet d'acier : un de vos ennemis se cassera une dent en dictant son courrier. Si un pouding se livre à des danses légères dans votre jardin en piétinant vos rosiers : votre femme adorée sera si distraite qu'au marché elle achètera un cheval au lieu d'acheter une botte de radis. Si une femme rêve d'un combat entre un pouding et un lion : votre peintre en bâtiments n'est pas soigneux.

En général, le pouding est d'un augure salutaire. En voici un exemple :

La peste ayant gagné l'armée de Charles Quint, ce prince vit en songe un pouding avec le képi du médecin-major sur la tête se pencher sur chaque pestiféré et leur tâter le pouls en éclatant d'un bon gros rire. Le lendemain, l'armée était sauvée.

Pourcentage : Voir dans le ciel un pourcentage qui brûle d'un feu modéré pur et luisant : vous aurez des fourmis dans les jambes et un bourdon dans les oreilles. Un pourcentage chantant comme une cigale : vous serez centenaire. Un pourcentage se léchant la patte comme un chat : un grand de la terre connaîtra la paille humide des cachots.

Richard Cœur de Lion vit en songe un pourcentage qui miaulait devant un bol de lait, d'une main, et de l'autre tenait un flambeau qui s'éteignit. Ces avertissements d'emprisonnement précédèrent de deux semaines son emprisonnement par Léopold, duc d'Autriche, qui le livra à Henri VI dit le Cruel. C'est en prison que Richard écrivit sa thèse sur la « Brandade de Morue aux Armées ».

Pupitre : Le songe à base de pupitre indique toujours une trahison. La veille de Waterloo, Napoléon aperçut en songe, et à dix reprises, son mameluk tenant par la bride un pupitre pommelé, qui se cabrait. L'Empereur voulut caresser le pupitre, mais celui-ci le mordit cruellement. « Donne-lui tout de même de l'avoine », dit l'Empereur.

Un autre exemple est si frappant que je ne puis le passer sous silence :

C'est en rêvant de pupitre que Caius Gracchus fut averti du sort qui le menaçait. Etant profondément endormi, il vit en songe un pupitre narquois qui pêchait la truite sur les bords du Tibre. On sait le reste et je n'ai pas besoin d'insister sur l'inspiration fatidique de ce songe.

OFFRES D'EMPLOI

• **Grand Hôtel Riviera** cherche monsieur fiévreux, claquant des dents pour emploi de coupe-cigares.

• **Producteur cherche garçonnet de 6 ans,** grand pour son âge, pour jouer dans film TV rôle garçon de 9 ans plutôt petit.

• **Clinique privée** cherche chirurgien même débutant.

• **On demande personne** ayant des vapeurs pour faire marcher locomotive.

• **On demande** des personnes sachant très bien compter jusqu'à 10 pour vérification des doigts dans une fabrique de gants.

A VENDRE

• **Un stock** de bavoirs pour omelettes baveuses, 201,95 F.
Bavoir sans bave, le mètre : 13 sous.
Bavoir avec omelette séchée, le kilo : 1,95 F.
Bave d'omelette, le verre : 35 sous.
Poudre pour faire baver l'omelette, le quintal, 112 F.
Pinceau porte-bonheur, en poils d'escargot pour la bave, le mille, 1,23 F.
Poils de rechange : 0,05 F.

• **Trous** pour planter des arbres. Le tombereau, 16,50 F.

• **Mains pour se tenir la tête,** pour travaux difficiles, la poignée, 4,20 F. Bras croisés pour se reposer, les deux, 7,50 F.

• **Brosse à dents** en pilules, évitant les lavages qui font perdre du temps. Très curieux, 3,65 F.

• **Manuel :** L'Art de vendre, 12 F. Manuel : L'Art de vendre des manuels, 29,90 F.

RECHERCHES

• **Monsieur atteint strabisme divergent** cherche monsieur atteint strabisme convergent pour pouvoir ensemble regarder les choses en face.

• **Abonné au gaz** cherche abonnée à l'électricité en vue mariage.

• **Les personnes qui ont été témoins** de l'incident au cours duquel un jeune homme un peu ivre a rossé un sergent de ville, rue de la Paix, dimanche dernier, sont instamment priées de ne pas se faire connaître.

MON BEAU-FRERE AVAIT RAISON

Je n'ai ni frère ni sœur ; je suis simplement fils unique d'une famille de quatre enfants dont trois appartenaient à des parents autres que les miens. Ce qui ne m'a nullement empêché d'avoir un beau-frère ; au contraire ; et je n'en ai que plus de mérite ; car, enfin, s'il est facile d'avoir un beau-frère quand on a une sœur, et une belle-sœur quand on a un frère, il est autrement compliqué d'avoir un de ces éléments familiaux quand on est tout seul pour se débrouiller.

D'ailleurs, la chose mérite d'être contée : c'était, il m'en souvient, un soir de mai, pendant les vendanges ; il peut vous paraître bizarre que les vendanges se fassent au mois de mai, mais dans le pays où je me trouvais à cette époque on vendangeait au mois de mai ; c'est comme ça. Il convient évidemment de préciser que ce n'était pas de la vigne qu'on vendangeait, et tout l'intérêt de l'affaire réside là-dedans.

C'est alors qu'un homme d'aspect correct, et qui ne paraissait pas plus pris de boisson que d'autres qui étaient en état total d'ébriété, s'approcha de moi et, m'introduisant son index droit dans l'oreille gauche, me dit : « Vous avez un trou là. » J'en convins, mais en lui faisant remarquer judicieusement qu'il se trouvait dans une situation analogue.

Cette identité de cavités nous rapprocha immédiatement et l'homme me dit, avec un timbre de voix que je n'oublierai jamais : « Voulez-vous être mon beau-frère ? — Oui, oui, répondis-je spontanément, à la condition expresse que vous deveniez également le mien. »

De ce jour, nous ne nous quittâmes plus. S'il me fallait vous détailler les enseignements que je tirai des fruits de sa conversation, je n'en finirais pas. C'était un homme qui voyait juste. Tout ce qui arrive aujourd'hui, il l'avait prévu ; les questions financières, notamment, l'intéressaient au plus haut point.

« Les finances, m'expliqua-t-il un jour, c'est une affaire de budget ! »

Comment ne pas être frappé par un exposé aussi lumineux qui, de nos jours, prend une valeur réaliste formidable ! C'est encore lui qui affirmait bénévolement : « Les chiffres n'ont de valeur réelle qu'en raison des nombres qu'ils représentent, eu égard à la parité correspondante de leur coefficient réciproque. » Or, relisez, je vous prie, les dernières déclarations de M. Marchandeau (1) ; il ne dit pas autre chose ; c'est-à-dire qu'il dit autrement la même chose.

Ah ! c'était un rude homme que mon beau-frère ! Combien de fois l'ai-je entendu murmurer, alors que nous cheminions de conserve : « Deux et deux font quatre, bien sûr, mais à la condition expresse que 8 et 8 fassent 16 et que 2895 moins 2890 fassent 5 ; qu'un seul de ces trois éléments vienne à perdre son sang-froid, et c'est tout le système pythagoricien qui est remis en question. » Ainsi il philosophait, mon beau-frère ! Et puis, un beau matin, il me déclara : « J'en ai assez d'être votre beau-frère, voulez-vous que je devienne votre oncle putatif ? » Je refusai, il

1. Le lecteur de 1964 pourra remplacer avantageusement (!) le nom de Marchandeau par celui de M. Giscard d'Estaing, par exemple.

se fâcha, et je ne le revis plus ; vous savez le reste.

Maintenant, privé de sa présence effective, je n'en reste pas moins avec le souvenir constant de sa clairvoyance et de son jugement précis ; dans les heures difficiles que nous vivons, ce souvenir est pour moi un puissant réconfort ; c'est pourquoi je peux me permettre de répéter en connaissance de cause, et en sachant parfaitement de quoi il retourne : « Mon beau-frère avait raison ! » Et si ces lignes tombent sous ses yeux, ce n'est certainement pas lui qui me donnera tort ; encore qu'il soit prouvé que si l'on a quelquefois tort d'avoir raison, on a rarement raison d'avoir tort ; à tort ou à raison ; mais on n'y peut rien, et encore moins quiconque que tout autre.

PIERRE DAC.

AVIS ET CORRESPONDANCES

● **Prière s'abstenir** de continuer envoi lettres anonymes, sinon répondrai. P.

● **Ti chien-chien** peut venir-venir. N'aura un gros susuc. Sa mémère elle a oublié le pipi sur le tapis. R.S.

● **Petit oiseau sentimental** cherche abri dans cage thoracique, près cœur sensible.

OCCASIONS

● **A saisir de suite,** très urgent, occasions de tunnels au mètre :
Tunnel noir, 150 F.
Tunnel très noir, 200 F.
Tunnel très très noir, 250 F.
Le même, mais plus noir, 300 F.
Tunnel obscur, 400 F.
Tunnel pour combats de nègres, 600 f.
Tunnel noir comme un four, 700 F.
Tunnel noir comme deux fours, 910,10 F.
Tunnel noir comme trois fours, 711 F.
Modèle au-dessus, supplément de 15 F. par four.
Pâte à noircir les tunnels, le pot, 19 F.
Noir de tunnel, le seau, 75 F.

Lanterne aveugle pour tunnel, 15,15 F.
Lumière noire de rechange, la flamme, 10 sous.

ANNONCES POUR ESPIONS

● **A B2**, RZZ, 136, XWY, O.A.W., RXX, AAA, BZZZ (Grille 439).

A VENDRE

● **Panoplie** de nudiste, 10 sous.

● **Lits** verticaux pour personnes qui dorment debout, 12,75 F.

● **Machine** à mirer les boules de billard, 2 500 F.

● **Couvertures** en fonte pour personnes ayant le sommeil léger. La pièce : 790 F.

● **Sommier,** ressorts à grande résistance, amortisseurs hydrauliques, pour dormeurs nantis de sommeil de plomb : 3 990 F.

● **Réchaud à gaz** pliant à deux foyers. Permettant d'utiliser les deux feux sous la même casserole. La pièce : 236,90 F.

● **A vendre** superbe fusil pour tir au flanc, livré avec rouleau de ligne de mire, guidon de course et détente internationale.

ON REJOUERA AU RUGBY
AVEC LES BRITANNIQUES

Le championnat de France de rugby n'a pas plu aux dirigeants anglais. Les joueurs de Grande-Bretagne refusaient depuis huit ans de jouer en France, à cause des coups de pied qu'ils avaient reçus en 1931. M'étant rendu à la Rugby Union, j'ai réussi à connaître les conditions auxquelles les joueurs britanniques consentiraient à revenir disputer un match en France. Les voici :

Terrain. — Le terrain sera divisé en deux parties : la britannique et la française. Les Français n'auront le droit, sous aucun prétexte, de pénétrer sur le territoire britannique. Ils devront botter les buts de leurs poteaux, les yeux bandés, et en regardant de l'autre côté. Les Britanniques, eux, pourront se mettre à cinq pour porter le ballon sur une civière jusqu'aux buts français. L'orchestre jouera *Tipperary*. Chaque fois qu'un Anglais fera une chute, il aura droit à être éventé pendant dix minutes par le Président de la F.F.R. déguisé en danseuse orientale.

Equipement. — Le maillot des Anglais sera couleur de gazon. Celui des Français devra obligatoirement n'avoir qu'une manche dans laquelle seront pris les deux bras. Même avantage pour la culotte. Les souliers des Français seront en crêpe georgette avec crampons à l'intérieur.

Règle du jeu. — Au coup de sifflet, les Français devront se coucher par terre et faire semblant de dormir. Les Anglais seront transportés en pousse-pousse jusqu'à la ligne des 22 mètres. Les pourboires des pousse-pousse seront payés par la F.F.R. Les poteaux de but français seront abattus et maintenus au sol pendant qu'un employé de la F.F.R., habillé aux couleurs britanniques, passera le ballon par-dessus la barre.

Jean Survot.

HORTICULTEURS ! VITICULTEURS !
UNISSEZ-VOUS !

Greffez des plants de rosiers sur des plants de vigne, ça fera du vin rosé naturel.

BRICOLEURS

Fabriquez vous-même votre appareil photographique en juxtaposant six plaques de tôle, un diaphragme, un sac de lentilles et un déclic ; si tout est bien placé dans l'ordre, ça peut marcher.

MEDAILLON DE VEAU SURPRISE

Pour confectionner ce plat économique, vous prenez des pommes de terre, des tomates, des haricots rouges, des navets, des poireaux. Puis vous ajoutez un médaillon en or ou en ivoire — avec ou sans photo. Comme vous voyez, il n'y a pas de viande, et vos invités chercheront le veau dans le plat que vous leur servirez. Ils n'en trouveront pas, et c'est là qu'est la surprise.

MANIERE D'ACCOMMODER LA SELLE DE CHEVAL

La selle d'agneau est un plat onéreux.

Mangez de la selle de cheval dont voici le mode de préparation :

Prenez une selle de cheval, une bonne selle moyenne de cheval entière si possible et bien tendre, c'est-à-dire vieille, car plus une selle de cheval est vieille, plus elle est tendre ; faire bouillir à l'eau froide et au cuir bouilli ; versez les bridons à l'ébullition en prenant bien soin d'enlever les gourmettes qui serviront d'abats.

Ne pas oublier de faire bouillir les étriers à part.

Quand tout cela est bien mitonné, hacher le mors

très fin menu ; une fois haché, recoller les morceaux de hachis avec de l'albuplast et incorporer sans mélanger de manière que ça fasse un tout.

Dressez sur harnais et servez frais suivant les circonstances et votre orientation politique.

LE PIED DE SELLERIE
A LA BOURRELIERE

Ce plat particulièrement apprécié par ceux qui l'aiment doit être préparé en respectant scrupuleusement les indications suivantes :

Prenez un pied de sellerie bien tendre, autant que possible dans la courroie ; faites-le mitonner pendant une demi-heure dans une cocotte en fonte ou en papier ; préparez ensuite un roux que vous faites passer au bleu avant d'en enduire votre pied de sellerie que vous arrosez doucement avec un coulis d'encaustique, en évitant soigneusement les coulis postaux.

Dressez et servez un fil à plomb. C'est tout.

LA SAUCE AUX CAPRES SANS CAPRES

Vous prenez un litre d'eau ordinaire que vous faites soigneusement bouillir. Quand elle est bien bouillie, vous prenez un deuxième litre d'eau que vous faites tiédir au bain-marie.

Cela fait, vous versez goutte à goutte un autre litre d'eau fraîche dans l'eau tiède pour faire une bonne liaison. Vous laissez légèrement épaissir sur le coin du feu.

Pendant ce temps, vous mettez en neige un bon litre et demi d'eau et vous incorporez cet appareil dans votre première préparation.

Si votre sauce est un peu ferme, vous l'allongez

avec un peu d'eau légèrement dégourdie pour éviter que cela attache.

Vous enfournez à feu vif pendant quarante minutes. Vous démoulez et, pour clarifier, vous délayez le tout dans un litre d'eau.

Vous avez alors ce que l'on appelle le « concentré de sauce aux câpres » qui, étant donné sa force et sa concentration, ne peut être utilisé tel quel pour les besoins de la cuisine.

Si l'on veut s'en servir, il est indispensable de l'étendre avec de l'eau dans la proportion de gros comme une tête d'âne sur la pointe d'une épingle pour dix litres d'eau.

Vous obtenez ainsi une sauce aux câpres très honorable et fort agréable au goût.

Les personnes qui digèrent mal et qui ont un estomac délicat, si cela ne passait pas, n'aurait qu'à boire un verre d'eau.

LA SOUPE AUX POISSONS ROUGES

Pour faire la soupe aux poissons rouges, il est indispensable d'avoir un bocal dans lequel s'ébattent des poissons rouges dont le nombre doit être proportionnel à la quantité de soupe que l'on désire.

Ne pas toucher aux poissons. Faire, à part, une soupe quelconque, légère autant que possible, aux poireaux et aux pommes de terre cuites ; laissez mitonner pendant une bonne heure au feu continu ou alternatif, suivant la nature du gaz ou du charbon de bois que vous utilisez. Laissez tiédir et versez, louche par louche, la soupe ainsi obtenue sur les poissons rouges qui, n'en doutez pas, l'apprécieront à sa juste valeur.

LES CERISES A L'EAU-DE-VIE

Voici l'époque où les cerises vont se trouver en abondance sur nos marchés ; profitons de leur prix abordable pour préparer de délicieuses cerises à l'eau-de-vie. Pour cette préparation, employez de préférence la cerise anglaise, la Montmorency, la griotte d'Etampes ou la tardive de Saint-Quentin. Enlevez les queues, dénoyautez. Prendre un litre de bonne eau-de-vie à 45° et procédez de la façon suivante : absorber une dizaine de cerises d'un seul coup, boire immédiatement la valeur d'un verre à bordeaux d'eau-de-vie et continuer ainsi jusqu'à épuisement des cerises et de l'eau-de-vie. Cette méthode, qui laisse à la cerise toute sa saveur, évite l'emploi toujours fastidieux des pèse-sirop et des bocaux de verre.

L'ETOUFFE AUX MORILLES

Vous prenez un homme, autant que possible entre deux âges et entre deux étages ; vous l'attachez solidement sur une chaise et lui maintenez la bouche largement ouverte : vous lui faites alors avaler de force la quantité de morilles suffisante pour que l'étouffement s'ensuive à bref délai. C'est tout.

COMMENT PREPARER LE POISSON

Avant de vider le poisson, il faut s'assurer qu'il est plein ; s'il ne l'est pas, remplissez avec quelque chose de consistant ; videz-le ensuite à l'aide d'un seau et d'un métronome à poisson. Nettoyez ensuite la peau avec une brosse dure et du savon mou, ou inversement. Certains poissons s'écaillent. Gratter en allant de la tête à la ceinture comme dans la lutte gréco-romaine, en utilisant un grattoir à démangeaisons. Pour la sole, faire une incision autour de la queue ; pour l'anguille, autour de la tête ; pour la baleine, autour du manche du parapluie. Opérer de la même façon pour la raie, mais différemment pour l'accolade. Tremper alors le poisson dans l'eau bouillante sans le lâcher ; au bout de trois minutes, retirer les mains et se rendre immédiatement chez le plus proche pharmacien pour faire soigner les brûlures.

Les poissons à peau visqueuse se raclent dans une eau très chaude et dans la gorge à l'aide d'un gargarisme approprié. Pour tous les autres poissons, procéder comme pour les soufflés au fromage.

LES ARTICHAUTS A LA GRECQUE

La préparation des artichauts à la grecque est simple et mérite d'être connue par tous ceux qui considèrent l'artichaut comme étant la plus noble conquête de l'homme après l'arrosoir.

En voici la recette : vous prenez quatre artichauts et vous en rendez deux au marchand, parce que ça vous suffit, à moins que vous n'en rachetiez trois autres si vous estimez que c'est nécessaire. Cela fait, tâchez d'avoir dans vos relations une dame de nationalité grecque et demandez-lui, moyennant une honnête rétribution, de vous préparer vos artichauts à la manière de son pays. C'est tout.

LA CHARLOTTE AUX POMMES

Prendre environ deux kilos de pommes (calvilles ou reinette du Canada), les ranger dans un plat allant au feu, mettre un peu d'eau, et faire cuire à four moyen. Quand elles sont dorées et molles à souhait, retirez-les du four et réservez-les. D'autre part, attendre que l'on donne dans le théâtre de votre localité une représentation de *Werther*. Le soir de la représentation, munissez-vous de vos pommes et prenez un bon fauteuil d'orchestre. A la première apparition en scène de la chanteuse qui interprète le rôle de Charlotte, saisissez-vous de vos pommes et jetez-les-lui en visant la tête. Vous aurez ainsi une magnifique « Charlotte aux pommes » qui régalera les plus difficiles.

FAITES VOTRE CONFITURE DE NOUILLES

La confiture de nouilles remonte à une époque fort lointaine ; d'après les renseignements qui nous ont été communiqués par le conservateur du musée de la Tonnellerie, c'est le cuisinier de Vercingétorix qui eut, le premier, l'idée de composer ce chef-d'œuvre de la gourmandise.

Avant de semer la graine de nouille, les nouilliculteurs préparent longuement le champ nouillifère pour le rendre idoine à la fécondation et versent sur toute sa surface de l'alcool de menthe dans la proportion d'un verre à bordeaux par hectare de superficie ; cette opération, qui est confiée à des spécialistes de l'école de Nouilliculture, est effectuée avec un compte-gouttes.

Après cela, on laisse fermenter la terre pendant toute la durée de la nouvelle lune et, dès l'apparition du premier quartier, on procède alors aux senouilles de la graine de nouilles.

La nouille, encore à l'état brut, est alors soigneusement triée et débarrassée de ses impuretés ; après un premier stade, elle est expédiée à l'usine et passée immédiatement au laminouille, qui va lui donner l'aspect définitif que nous lui connaissons ; le laminouille est une machine extrêmement perfectionnée, qui marche au guignolet-cassis et qui peut débiter jusqu'à 90 kilomètres de nouilles à l'heure ; à la sortie du laminouille, la nouille est automatiquement passée au vernis cellulosique, qui la rend imperméable et souple ; elle est ensuite hachée menu à la hache d'abordage et râpée. Après le râpage, la nouille est alors mise en bouteille, opération très délicate qui demande énormément d'attention ; on met ensuite les bouteilles dans un appareil appelé : électronouille, dans lequel passe un courant de 210 volts ; après un séjour de douze heures dans cet appareil, les bouteilles sont sorties et on vide la nouille désormais électrifiée dans un récipient placé lui-même sur un réchaud à haute tension.

On verse alors dans ledit récipient du sel, du sucre, du poivre de Cayenne, du gingembre, de la cannelle, de l'huile, de la pomme de terre pilée, un flacon de magnésie bismurée, du riz, des carottes, des peaux de saucisson, des tomates, du vin blanc et des piments rouges ; on mélange lentement ces ingrédients avec la nouille à l'aide d'une cuiller à pot et on laisse mitonner à petit feu pendant vingt et un jours. La confiture de nouilles est alors virtuellement terminée. Lorsque les vingt et un jours sont écoulés, que la cuisson est parvenue à son point culminant et définitif, on place le récipient dans un placard, afin que la confiture se solidifie et devienne gélatineuse ; quand elle est complètement refroidie, on soulève le récipient très délicatement, avec d'infinies précautions et le maximum de prudence, et on balance le tout par la fenêtre parce que ce n'est pas bon.

Voilà, mesdames et messieurs, l'histoire de la confiture de nouilles ; c'est une industrie dont la prospérité s'accroît d'année en année ; elle fait vivre des milliers d'artisans, des ingénieurs, des chimistes, des huissiers et des fabricants de lunettes. Sa réputation est universelle et en bonne ambassadrice elle va porter dans les plus lointaines contrées de l'univers, par-delà les mers océanes, le bon renom de notre industrie républicaine, une et indivisible et démocratique.

PIERRE DAC.

FIANCES
SACHEZ NOUER VOS DOIGTS

Certes, il est doux de se promener sous la charmille la main dans la main, les doigts tendrement mêlés aux doigts de l'être aimé, mais encore faut-il savoir se nouer les doigts ? Voici un moyen qui a fait ses preuves et qui fut employé par les grands amoureux de tous les temps :

Passez la première phalange du pouce sous le centre de l'index pendant que l'auriculaire se glisse sous la deuxième phalange du majeur. Exercez à l'aide du métacarpe une légère pression sur la phalangette de l'annulaire afin que l'ongle du pouce ne vienne pas buter sur la face interne du petit doigt.

Répétez matin et soir cet exercice en changeant de main à chaque fois.

UNE REVOLUTION
DANS LA CHARCUTERIE

Dorénavant, le veau piqué devra l'être à la machine.
Voilà une mesure salutaire qui sera favorablement accueillie par les partisans de l'hygiène et les amateurs de rillettes.

64

DEMANDES D'EMPLOI

● **Jeune homme** atteint de la danse de Saint-Guy cherche place stable.

● **Réparation** de locomotives à domicile.

● **Lecture** de romans à domicile. Les 11, 11 F.

● **Complètement fauché,** accepterait place homme de paille.

● **Bonne à tout faire,** sauf : ménage, cuisine, courses et corvées, cherche place dans bonne maison. Références, aime bien Laurel et Hardy, rien à verser d'avance, mais fixe sérieux demandé (auto si possible).

● **Nourrisson** présentant bien, distingué, bonne éducation, cherche place entraîneur dans crémerie ou milk-bar.

DIVERS

● **Canadien** de passage à Paris, céderait bon prix chaude canadienne taille 44. Yeux marron clair.

● **Evêque chasseur** cherche canon de fusil calibre 16 pouvant s'adapter à sa crosse.

● **Concierge** demande loge au 7ᵉ étage pour descendre le courrier au lieu de le monter.

● **Navigateurs,** si le vent debout vous gêne, faites-le asseoir sur un banc de harengs. La brochure explicative, 555 F.

● **Achèterais** n'importe quel prix, résumés de n'importe quels chapitres précédents.

● **Magnifique Musée** de province venant d'être construit attend offre d'une curiosité quelconque pour pouvoir ouvrir ses portes.

SCIENCES OCCULTES

● **Ne vous contentez pas de ce que vous savez.** Tâchez d'en connaître davantage en consultant l'extraordinaire Mme Gisèle de Baismon, voyante extra-lucide intégrale, la seule qui dévoile le passé, le présent et l'imparfait du subjonctif.

Tarif courant :

Grand Tarot, 7 F.
Petit Tarot, 9,95 F.
Lignes de la main, 7 F.
Lignes de banlieue, 6,60 F.
Marc de café, 7,50 F.
Marc de bourgogne, 11 F.
Café-crème, 19 sous.

● Si tous ceux qui croient avoir raison n'avaient pas tort, la vérité ne serait pas loin.

● La meilleure manière de prendre un autobus en marche, c'est d'attendre qu'il s'arrête.

● Quand on ne travaillera plus le lendemain des jours de repos, la fatigue sera vaincue.

● Le carré, c'est une circonférence qui a mal tourné.

● Les rêves ont été créés pour qu'on ne s'ennuie pas pendant le sommeil.

● Une mauvaise photo qui rappelle vos traits vaut mieux qu'un beau paysage qui ne vous ressemble pas.

● Je songe souvent à la quantité de bœuf qu'il faudrait pour faire du bouillon avec le lac de Genève.

● Certaines gens donnent leur parole et ne la tiennent pas, mais comment voulez-vous qu'ils la tiennent puisqu'ils l'ont donnée ?

● La science mathématique repose sur un postulat ; c'est son droit ; mais on n'est pas obligé de la croire : ainsi 2 et 2 font 4 ; mais il n'y a pas qu'eux : 1 et 3 aussi font 4.

● La fonction créé l'organe, dit-on ; moi, je veux bien ; mais je ne vois pas comment certains organes pourraient être créés par des fonctions qui, pour être accomplies, nécessitent le concours d'organes... enfin, bref !

● Pendant la canicule, nombre de personnes s'écrient : « C'est effrayant, il y a 35° à l'ombre. » Mais qui les oblige à rester à l'ombre ?

● Les gens qui ont le menton en galoche et dont les dents se déchaussent y mettent vraiment de la mauvaise volonté.

● En hiver, on dit souvent : « Fermez la porte, il fait froid dehors ! » Mais quand la porte est fermée il fait toujours aussi froid dehors.

● Les gens qui sont myopes d'un œil, presbytes de l'autre et qui louchent par surcroît sont impardonnables de ne pas voir ce qui se passe autour d'eux.

● La mort, c'est un manque de savoir-vivre.

● Pour la marche, le plus beau chapeau du monde ne vaut pas une bonne paire de chaussures.

● Rien ne sert de penser, faut réfléchir avant.

● Le rire est à l'homme ce que la bière est à la pression.

● « On ne peut pas être et avoir été », dit un populaire dicton. Pourquoi ? On peut très bien avoir été un imbécile et l'être encore.

● Entre une semelle de crêpe et un double-crème, il n'y a que la différence qui existe entre les choses qui n'ont aucun rapport entre elles.

● Rien n'est moins sûr que l'incertain.

● Pourquoi dit-on souvent qu'un appartement est haut de plafond et jamais bas de plancher ?

● S'il n'y avait pas d'erreurs, on ne se tromperait jamais.

● En montant un escalier, on est toujours plus fatigué à la fin qu'au début. Dans ces conditions, pourquoi ne pas commencer l'ascension par les dernières marches et la terminer par les premières ?

● Entre la diplomatie et le diplodocus, il n'y a que la différence des deux dernières syllabes.

● S'il y a souvent des scandales sans précédent, en revanche il y a encore bien plus souvent des précédents sans scandale.

● L'avenir, c'est du passé en préparation.

● Un homme parti de rien pour ne pas arriver à grand-chose n'a de merci à dire à personne.

● Tous pour un, un pour tous, et 25 p. 100.

● Une belle idée qui n'aboutit pas vaut mieux qu'une mauvaise qui voit le jour.

● Mais où se trouve exactement située la ville de Saint-Gétorix ? J'ai mille fois entendu dire : vers Saint-Gétorix et je ne trouve pas ce nom sur la carte.

● C'est quand un homme se noie qu'il se rend compte qu'il a parfois eu tort de méconnaître les bienfaits de la sécheresse.

● Une erreur peut devenir exacte, selon que celui qui l'a commise s'est trompé ou non.

● Ce n'est pas n'importe qui qui peut être quiconque.

● Rien ne peut servir à tout, mais tout peut très bien ne servir à rien.

● Un sens interdit, en somme, ce n'est qu'un sens autorisé, mais pris à l'envers.

● Quand, durant tout un jour, il est tombé de la pluie, de la neige, de la grêle et du verglas, on est tranquille. Parce que, à part ça, qu'est-ce que vous voulez qu'il tombe ?... Oui, je sais, mais enfin, c'est rare...

● Si les hommes vivaient en moyenne six cents ans, les centenaires auraient l'air de blancs-becs.

● Quand y a du bromure dans le pinard, y a du mou dans la corde à nœuds.

● Il est incontestable que, de tous les arts, l'art culinaire est celui qui nourrit le mieux son homme.

● Ceux qui ne savent rien en savent toujours autant que ceux qui n'en savent pas plus qu'eux.

● Toute chose finie n'est jamais entièrement achevée tant qu'elle n'est pas complètement terminée.

● Qu'on le veuille ou non et à toutes choses égales, il vaut mieux s'enfoncer dans la nuit qu'un clou dans la fesse droite.

● Donner avec ostentation ce n'est pas très joli, mais ne rien donner avec discrétion ça ne vaut guère mieux.

● Parler pour ne rien dire et ne rien dire pour parler sont les deux principes majeurs de tous ceux qui feraient mieux de la fermer avant de l'ouvrir.

PIERRE DAC.

UN GRAND MATCH INTERNATIONAL
DE PASSOIRE S'EST DISPUTE
AU STADE MUNICIPAL
DE LA FOURCHETTE-SUR-PLAT-CREUX

Le stade municipal de La Fourchette-sur-Plat-Creux est déjà noir de monde. La foule a envahi la pelouse, les tribunes et les mezzanines de balcon. C'est que, tout à l'heure, un grand match international de passoire va mettre aux prises l'équipe de France de cuiller à pot et l'équipe de Louching-Club d'Ecosse.

Confortablement installé dans la tribune d'honneur qui, en temps ordinaire, sert de réservoir pour le cidre de pommes de pins (spécialité du pays avec l'ardoise aux anchois), je suis assis dans une soupière contenant de la panade bien mitonnée, ce qui est incontestablement plus doux que n'importe quel siège.

Deux mots d'abord sur le jeu de la passoire, qui, à cela près que le ballon est remplacé par ladite passoire, se joue à peu près de la même manière que le rugby à deux ou le billard japonais.

Mais voici l'équipe de France de cuiller à pot qui pénètre sur le terrain.

On me signale que notre équipe nationale est vêtue de blanc, mais il est difficile de s'en rendre compte, car on me signale également que tout à l'heure les joueurs sont tombés dans la boue, de sorte que le blanc est en dessous, ce qui d'ailleurs vaut infiniment mieux, car de cette façon, il est protégé par la boue... Chaque joueur porte, fixée au pied droit, une cuiller à pot réglementaire, sauf sept ou huit joueurs qui, paraît-il, sont gauchers. Le gardien de but, lui, a une cuiller à pot à chaque main et à crampons...

A son tour, l'équipe d'Ecosse vient saluer la foule. Les joueurs sont vêtus d'une culotte de baccarat et d'un maillot vert teint en rouge. Malheureusement, le rouge a déteint et laisse apparaître le jaune qui était sa couleur primitive et préférée. Les joueurs portent au pied, non pas une cuiller à pot, mais la louche écossaise bien connue, de dimensions réglementaires, c'est-à-dire 18/4 de hauteur en 12 de large.

Les équipes étant face à face l'une de l'autre, les deux capitaines se serrent respectivement la louche et la cuiller... L'instant est vraiment émouvant. La musique des joyeux troubadours du Cambodge attaque avec brio : « Sous l'épaulette et au-dessus de l'entresol », pas redoublé d'Ambroise Paré.

L'arbitre apparaît, salué par la célèbre marche bien connue : *Pan, pan, l'arbitre*. Il est aimablement accueilli, en outre, par une magnifique bordée d'injures et de superbes coups de sifflet.

La passoire est posée au milieu du terrain, l'arbitre siffle ; on croit que le jeu va commencer, mais il n'en est rien. Les joueurs s'en vont chacun de leur côté et se couchent par terre.

Ceci est d'ailleurs parfaitement normal, car les matches de passoires commencent toujours par la mi-temps.

Utilisant la pause au mieux de leurs intérêts, les marchands passent parmi la foule. L'un d'eux vend des pommes au lard à la pression, article très demandé par l'honorable assistance qui manifeste bruyamment sa joie.

Par contre, elle conspue violemment un marchand

de lentilles creuses fourrées au safran, qui a bien du mal à exercer son négoce... On a raison d'ailleurs, car c'est un ancien espion qui, à plusieurs reprises, a essayé de se procurer le plan des semelles crêpe pour empêcher les fusils gras de déraper...

Ah! on siffle la fin de la mi-temps. Les équipes se relèvent, se remettent face à face... et vont se rasseoir parce qu'on vient de siffler une prolongation de la mi-temps.

Les juges en profitent pour tirer à la carabine sur le marchand de lentilles espion qui est dans une bien pénible situation. Sa femme et ses enfants se suspendent à sa cravate... Il convient de préciser, pour apaiser les âmes sensibles, que son tout dernier-né a une bonne soixantaine d'années, ce qui rétablit l'équilibre compromis par le creux des lentilles...

Soudain, un coup de sifflet retentit, la partie va commencer et les équipes sont en bon ordre au milieu du terrain... Attention, l'arbitre s'apprête à siffler le coup d'envoi... Malheureusement, il s'aperçoit qu'il vient de perdre son sifflet.

Fraternellement unis, Ecossais et Français conjuguent leurs efforts (à l'imparfait du subjonctif et au futur passé de l'indicatif présent) pour le retrouver.

Plusieurs heures s'écoulent en vaines recherches, et l'on commençait à désespérer quand un homme de bonne volonté découvre le sifflet dans une cheminée d'usine de la proche banlieue.

L'arbitre le porte à ses lèvres. Hélas! en dépit d'efforts surhumains, il n'en tire aucun son, car il est rempli de suie, d'escarbilles, de poussière d'anthracite et de poudre de mâchefer.

La foule manifeste son impatience, les juges discutent; les joueurs, ne sachant que faire, entament une partie de saute-mouton, puis une autre de pigeon vole, jusqu'au moment où l'arbitre, qui vient d'avaler tout ce qu'il y avait dans le sifflet, s'écroule sur le terrain, aux trois quarts étouffé.

On lui prodigue des soins empressés et on le ranime en même temps que le sifflet.

Ah ! je crois que cette fois-ci c'est sérieux... Le coup d'envoi est à l'Ecosse, mais que se passe-t-il donc ? Des hurlements retentissent...

Allons bon, la passoire a disparu. Il ne manquait plus que cela. La foule s'énerve de plus en plus.

On entend des cris furieux :

— Où qu'est la passoire ?

— Où qu' c'est-y qu'elle est ?

— Mais ousqu'elle est donc ?

— Où qu'alle est ?

Mais on la retrouve enfin. C'est le cadet du marchand de lentilles qui, s'ennuyant, s'était subrepticement emparé de la passoire, histoire de passer le temps. Comme si on pouvait passer le temps dans une passoire...

Les équipes, qui s'étaient couchées dans la boue en attendant qu'on la retrouve, reprennent leur place mollement et en manifestant une mauvaise humeur indéniable.

Les spectateurs les injurient copieusement et l'arbitre, vexé, prend la décision de siffler la fin du match. Les joueurs regagnent leur vestiaire avec enthousiasme et la foule s'écoule lentement, goutte à goutte, en commentant diversement les différentes passes qui auraient pu se produire si le match avait eu lieu.

En somme, je n'ai pas vu grand-chose, bien que je fusse admirablement placé. Bah ! cela n'a pas d'importance, j'irai voir le match au cinéma.

G. K. W. Van Den Paraboum.

Les gens superstitieux vous recommandent instamment de ne jamais passer sous une échelle ; mais ils ne vous empêchent pas de passer sous un taxi. C'est louche et blême.

VOYAGEURS !

Demandez notre nouvel annuaire spécial des chemins de fer, muni d'horaires à chiffres mobiles permettant à chacun de régler ses heures de départ et d'arrivée à sa convenance.

N.B. — Demandez, entre autres et à titre de curiosité : l'horaire d'une profonde nuit, pour se rendre d'Athalie (Vendée) à Jézabel (S.-et-O.).

PETITES ANNONCES

AVIS ET CORRESPONDANCES

- **A toute personne** m'envoyant 0,25 F en timbres-poste j'envoie une superbe lettre de remerciements.

FARCES ET ATTRAPES

- **Porte-monnaie** farceur. Crache au visage chaque fois que l'on prend de l'argent dedans. 30 F.

- **Fourchettes** très pointues enduites de curare. La pièce, 2 F.

- **Sucre d'orge** à la digitaline. 4 F.

- **Pipe en celluloïd** : 2 F. Tabac à la mélinite : 3 F les 125 g (assez cocasse).

ECHANGES

- **Avare** désirant connaître sensations neuves, échangerait promesses généreuses contre remerciements anticipés.

- **Disposant d'une maisonnette** toute blanche au fond des bois, l'échangerais volontiers contre la cabane en bambou qu'un grand arbre vert abrite et que propose Lakmé. Téléphoner pour rendez-vous à Manon, place Boieldieu, Paris.

ANNONCES HISTORIQUES

- **Roi Fainéant** particulièrement fatigué cherche courageux intermédiaire pour saluer le peuple.

- **Panoplie de Bourgeois de Calais** : la chemise, la corde et la clef : 600 F. Le gilet de flanelle, supplément : 1 500 F.

- **Découvrez l'Amérique** avec Christophe Colomb. Voyage sur caravelle luxe et réception par les Peaux-Rouges, 22 000 pesetas. Aller et retour, 23 000 pesetas. Retour seul, 30 000 pesetas.

A VENDRE

- **Un lot de passoires** non percées pouvant servir de casseroles. Pièce, 2 F.

- **Un lot de casseroles** percées pouvant servir de passoires. Pièce, 1,95 F.

- **Colliers** doubles pour chats siamois : 223 F.

- **Faux rasoirs** pour personnes portant fausses barbes : 13,25 F.

- **Chaussons de lisières** pour gardes forestiers. L'équipement : 29 F.

SAVOIR SE RENDRE ANTIPATHIQUE, C'EST BIEN, SAVOIR SE RENDRE ODIEUX C'EST BEAUCOUP MIEUX

M. Dale Carnegie, président du Dale Carnegie Institute, publiait aux Etats-Unis, il y a quelque temps, un livre intitulé : *Comment se faire des amis.* Toute chose appelant irrésistiblement son contraire, un autre Américain, Irving D. Tessler, s'empressa d'écrire une réplique à cette œuvre : *Comment perdre ses amis et se rendre antipathique.* Pourquoi pas ?

Toutefois, les recettes données par l'écrivain ne nous ont pas paru exactement aptes à l'obtention du résultat cherché. Et nous avons, à notre tour, rédigé quelques conseils très efficaces que l'on pourrait réunir sous le titre : *Comment se faire casser la figure.*

Si un ami vous invite à dîner, refusez mais présentez-vous quand même chez lui à l'heure dite. Au lieu de manger, chantez intégralement le troisième acte de *Faust* en vous drapant dans la nappe. Si l'on vous fait observer que vous feriez mieux de sortir, asseyez-vous et demandez innocemment quand commencera la représentation.

En voyage, si votre voisin de compartiment essaie d'engager la conversation, ligotez-le et jetez-le par la portière. Tirez la sonnette d'alarme, tirez la langue

76

au contrôleur. Vous ne réussirez pas alors à tirer votre épingle du jeu.

Lorsqu'un raseur rencontré dans la rue vous importune, étendez-vous tranquillement sur le trottoir et endormez-vous. Si vous n'avez pas sommeil, expliquez que vous avez de l'insomnie.

Si la conversation a lieu dans un salon mondain, efforcez-vous de couvrir la voix de votre interlocuteur en brisant quelques potiches ; s'il insiste, faites exploser plusieurs pétards ou, au besoin, une cartouche de dynamite.

Vous êtes candidat aux élections et votre public vous agace : faites écrire vos discours par un bègue. Si l'on vous applaudit malgré tout, sifflez et criez : « A la porte ! » Après avoir soigneusement verrouillé la salle, bien entendu.

Lorsqu'un représentant de commerce s'introduit chez vous pour vous proposer un aspirateur, par exemple, essayez aussitôt de lui vendre votre baignoire ou la colonne montante.

Automobilistes, soyez antipathiques ! Conduisez votre voiture place de l'Opéra, couchez-la sur le côté, asseyez-vous dessus et souriez. Si l'on prétend que vous êtes loufoque, ne protestez pas, mais tâchez de tenir des propos sensés. Nous vous prévenons que c'est très difficile.

MAURICE HENRY.

LE STYLE DES TABLES
DE MULTIPLICATION

Sous l'énergique impulsion de notre sympathique ministre de l'Education nationale, un gros effort est actuellement tenté en vue de donner enfin un style aux tables de multiplication qui, jusqu'à ce jour, demeuraient désespérément sans caractère et d'une décourageante banalité.

De nombreux projets ont d'ores et déjà été établis par de talentueux décorateurs, et bientôt nous pourrons admirer dans les vitrines d'ameublement de luxe des tables de multiplication Henri II ou Renaissance, rustiques ou modernes, avec ou sans pied, etc.

Nous ne pouvons qu'applaudir à cette intelligente innovation : ainsi, dans un cadre approprié et intime, les chiffres se sentiront beaucoup plus à leur aise pour se multiplier, ce qui, dans les temps difficiles que nous vivons, offre un indiscutable intérêt économique et financier.

DEMANDES D'EMPLOI

- **Ancien garde mobile** cherche emploi stable.

- **Cheval paresseux** demande charretier buveur s'arrêtant à tous les bistrots.

- **Monsieur** ayant déjà eu des hauts et des bas demande place garçon d'ascenseur.

- **Apprenti maçon**, désirant s'élever, construirait building pendant heures de loisirs. Prix intéressants.

DIVERS

- **Dispositif pour écrire à la main**, se compose d'un bâtonnet creux pouvant se remplir de liquides colorés, s'écoulant par l'entremise d'un morceau de métal taillé en pointe, adoucie à son extrémité, laquelle reposant légèrement sur un papier peut tracer des mots en n'importe quelle langue, suivant l'individu. Modèle à réservoir, 16,95 F. En prime, un flacon de liquide pour écrire. Coloris au choix.

- **Collectionneur d'autographes** achète cher lettres anonymes d'hommes célèbres.

- **L'envers vaut l'endroit.** Collectionneurs, ne jetez plus vos vieux tableaux. Faites-les retourner.

- **Porte** ayant du jeu cherche partenaire.

- **Disques lisses** pour personnes n'ayant pas de phonographes (verso rugueux pour affûter les crayons), 15 F le cent.

LOCATIONS

- **On cherche** pour installer agence de location local bien situé.

- **On demande à louer** deux fenêtres donnant sur grande chambre ensoleillée.

COURS ET LEÇONS

- **Je done lesson** d'ortaugraffe part quoeraispondance.

- **Jugez vous-même.** Cours d'assises par correspondance.

- **Professeur** bègue donne répétitions.

PROPOSITIONS SPECIALES

- **Pour entraînement référendum**, jeune fille bien, sous tous les rapports, désirerait connaître avis messieurs bien, sur sa constitution. Pas sérieux s'abstenir.

UNE INAUGURATION QUI FINIT MAL

C'est avec un intense sentiment de légitime fierté que Léon Balandard contemplait ce matin de septembre la grande place de sa ville natale : Gimey-sous-Lézieux, où se trouvaient réunis au grand complet la municipalité, les pompiers, la fanfare et tous les habitants de l'aimable cité.

Dans quelques minutes, Léon Balandard allait assister à l'inauguration de sa propre statue, sur le piédestal de laquelle étaient gravés ces mots :

A LEON BALANDARD
SA VILLE NATALE FIERE
ET RECONNAISSANTE

C'est là, avouons-le, un fait peu commun, et l'on pourrait compter les grands hommes qui, au cours des siècles, furent appelés à un tel honneur, réservé d'habitude aux seuls décédés.

Et, tout en s'approchant de la statue qu'un voile recouvrait, Léon Balandard revivait en quelques secondes la rapide ascension de sa carrière de génial inventeur. A douze ans, sa première machine à secouer les puces ; à quatorze ans, un appareil à éplucher les textes adopté par toutes les Académies ; à vingt ans, ses merveilleuses lunettes à feu continu pour personnes ayant froid aux yeux, et tant d'autres magnifiques inventions qui lui apportaient à cet instant la gloire intégrale...

Déjà M. le Maire, dans un éloquent discours, retraçait la vie sublime de Balandard. L'Harmonie de Gimey attaquait : *Viva ! Viva pour l'gars d'cheu nous,* hymne à la gloire de Balandard et composé par M. Le Guidou, le sympathique cantonnier du pays.

Enfin l'instant émouvant de retirer le voile qui masquait la statue était arrivé. Balandard s'approcha. Un vivant saluer sa propre effigie ! M. Paradeux, le vaillant forgeron, saisit des deux mains la corde qui pendait... Une vigoureuse secousse n'apporta aucun résultat, le voile étant resté accroché à un des bras levés de la statue... Han ! un autre effort inutile... M. Paradeux se cracha dans les mains, ressaisit la corde et tira si fort que la statue s'abattit brusquement sur l'infortuné Balandard, le punissant ainsi de n'avoir pas voulu faire comme les autres.

FERNAND RAUZENA.

FUMEURS

Pendant les grandes chaleurs, fumez de la glace séchée ; c'est rafraîchissant et ça n'irrite pas la gorge.

COMMENT J'AI FAILLI ACHETER L'ODEON !

C'est comme j'ai l'avantage de vous le dire : j'ai failli acheter l'Odéon. A première vue, ça peut paraître bizarre ; à deuxième vue aussi ; à troisième, quatrième, cinquième et sixième vue également ; à perte de vue encore plus ; il n'y a guère qu'aux environs de la double vue qu'on commence à discerner les mobiles qui m'ont poussé à me lancer dans une pareille entreprise.

Pourtant, l'affaire est extrêmement simple : j'ai toujours eu l'intention d'acheter l'Odéon. Et ça remonte loin ; dès ma tendre enfance, ça me travaillait ; mes camarades de lycée n'avaient d'autre ambition que d'avoir plus tard, qui un cheval, qui une voiture, qui une rame de métro ; moi je voulais avoir l'Odéon.

Loin de me contrarier, ma famille encouragea, au contraire, ce noble et classique dessein ; un de mes oncles, notamment, qui était, à l'époque, puisatier assermenté près le Collège de France, fit tout ce qu'il put pour me faciliter la tâche ; il convient de dire, d'ailleurs, qu'il n'y pouvait absolument rien, ce qui simplifia singulièrement ses démarches ; mais enfin l'intention y était et, sentimentalement parlant, c'était le principal.

Plus tard, au cours de la dernière guerre, alors

que, comme je crois l'avoir déjà dit, j'étais arrivé à me faire une situation enviable comme caporal d'infanterie, je me disais : « Quand ce sera fini, j'achèterai l'Odéon. » Et puis, vous savez ce que c'est ; une fois la paix provisoire revenue, il fallut compter avec le struggle pour la vie, et les tutti quanti qui se greffaient sur les avatars, sans préjudice des impedimenta, des impondérables et des in petto plus ou moins crochus. L'idée d'acheter l'Odéon s'estompa un peu dans mon esprit mais n'y demeura pas moins à l'état latent ; c'était, en somme, une sorte d'odéonite chronique qui n'attendait qu'un événement propice pour passer à l'état aigu.

Cet événement s'est produit. Le jour de la signature du pacte germano-russe, j'eus soudain la révélation absolue qu'il fallait en finir et que l'achat de l'Odéon se révélait urgemment indispensable.

Donc, un jour de la semaine dernière, je m'en fus trouver le commissaire de police de mon quartier et lui demandai la marche à suivre pour la conclusion rapide de l'affaire en question ; le commissaire ne se montra nullement surpris, s'étonna même que je ne fusse pas encore propriétaire dudit Odéon et me dit incontinent : « A mon avis, la meilleure marche à suivre est, sans conteste, celle de *Sambre-et-Meuse*, ou, à la rigueur, des *Allobroges*, ce qui ne vous empêche cependant pas d'aller consulter M. le Directeur des Beaux-Arts. » Ce que je fis sans perdre un instant ; je fus reçu fort courtoisement par un chef de cabinet qui s'intéressa particulièrement à mon cas en me demandant des renseignements sur mes antécédents ; sur ses conseils, je me présentai au directeur actuel du Théâtre national de l'Odéon, qui voulut bien me fournir toutes explications utiles sur l'établissement dont je voulais me rendre acquéreur.

« L'Odéon, me dit-il, fut construit de 1773 à 1782 ; incendié en 1799, il fut reconstruit en 1808, à nouveau incendié en 1818, reconstruit plus tard et surélevé en 1931.

— Il flambait souvent, crus-je bon d'objecter.

— C'est que, me confia le directeur, les artistes ont toujours eu l'habitude de brûler les planches.

— C'est tout naturel, ajoutai-je finement ; alors, voilà, m'écriai-je ex abrupto, je veux acheter l'Odéon, voulez-vous me le vendre ?

— Non, me répondit catégoriquement mon interlocuteur.

— Alors, tant pis, fis-je, ce sera pour une autre fois. »

Et voilà. Comme vous le voyez, il s'en est fallu de peu que l'Odéon ne soit à l'heure actuelle mon intégrale propriété ; ça n'a tenu qu'à un refus et à une fin de non-recevoir. C'est pourquoi j'estime que la cause de mon échec est si minime que je la considère comme inexistante et que le résultat, pour négatif qu'il soit, est moralement positif.

Tout de même, à quoi tiennent les choses !

Pierre Dac.

LA HOUILLE DORMANTE

Credo quia absurdum, a écrit Lope de Vega en son traité sur la pluralité des barres d'appui. Ce n'est certes pas moi qui dirai le contraire, étant pleinement et entièrement de l'avis de cet illustre gastronome.

Il n'en est pas moins vrai que le devoir immédiat et actuel de tout citoyen est de collaborer à l'œuvre urgente de redressement par l'économie nationale rationnelle. Or, qui dit économie dit utilisation de toutes les forces naturelles au bénéfice de l'intérêt général.

Or j'estime que, chaque jour, nous laissons inutilisée une quantité d'énergie telle qu'il est presque criminel de laisser perpétuer un pareil état de choses. Et c'est pourquoi je veux vous parler ici de la houille dormante.

La houille dormante ! C'est probablement la première fois que vous en entendez parler ; moi aussi d'ailleurs, puisque, avant d'y avoir pensé personnellement, nul ne m'en avait soufflé mot.

Voilà de quoi il s'agit : on connaît sous le nom de houille blanche la force des chutes d'eau mise au service de l'énergie électrique ; d'où économie massive et indiscutable de combustible. On connaît aussi la houille beige, la houille bleue et la verte d'utilité moins glorieuse mais honorable cependant. Il s'agit maintenant d'utiliser la houille dormante. Qu'est-ce que la houille dormante ? C'est la captation de l'énergie du sommeil, énergie négative qui peut être rendue positive par le truchement de moyens qu'il appartient aux ingénieurs de réaliser.

Tout être humain, à l'état de veille, manifeste une certaine activité variable, suivant sa complexion physique et morale ; or, en période de sommeil, cette activité disparaît-elle ? Non pas, elle tourne à vide, sans utilité aucune ; n'avez-vous point remarqué que certaines personnes dorment plus ou moins rapidement ? Preuve irréfutable d'une énergie contenue qui ne demande qu'un procédé adéquat pour être canalisée et utilisée à des fins industrielles.

L'énergie produite en une nuit par la respiration de 40 millions de Français endormis serait amplement suffisante pour faire fonctionner pendant deux mois toutes les usines du pays, y compris celles-là et les autres.

Je sais qu'en lisant cette affirmation les compétences autorisées vont hausser les gencives en claquant des épaules. Peu importe. L'idée est un blé dont le grain semé finit toujours par produire un jour ou l'autre un pain de quatre livres.

La houille dormante est dans l'air ; elle fera son chemin et ce sera l'honneur de ma vie d'avoir été le précurseur d'une chose qui, demain, redonnera à notre nation la prospérité et le bonheur dans l'idoine et la fécondité.

PIERRE DAC.

LETTRE D'UNE JEUNE FILLE
DE LA CORREZE

I

Chère cousine Synovie

Si je me suis enfin décidée à vous écrire, c'est parce que mon père est un grand blond. Vous seule, j'en suis sûre, pouvez, par vos conseils, me donner l'énigme de la clef de la solution qui me torture, à tel point que, la nuit, je me ronge les ongles et ça n'est pas beau pour une jeune fille, surtout quand on a de jolis pieds.

Je vous écris de la soupente. Au loin, je vois le village qui se reflète dans l'eau, mais ça n'est qu'un mirage, car l'eau est trop petite pour contenir un aussi grand village dont le maire est encore très hautain pour son âge. Au-dessus de ma tête blonde se balancent des andouilles. Si je tourne tant soit peu mes magnifiques yeux de turquoise, je vois ma mère qui fait la cuisine dans le hamac, suspendue à un arbre. Ma mère, quelle femme divine ! elle a installé le fourneau de la cuisine dans le hamac, elle trouve cela plus commode pour dormir pendant que des oiseaux sifflent des airs et le potage.

Pendant ce temps, mon père se tait. Mon père ne

parle jamais, il préfère sucer des bonbons. Mais comme il est quand même indispensable d'avoir son avis dans certains cas, il fait enregistrer toutes ses réponses sur des disques.

Donc, vous voyez que je suis une jeune fille modèle, ou tout au moins j'avais tout ce qu'il faut pour cela lorsque l'événement capital de ma vie arriva. Et voici comment : j'étais toute seule, un jour, dans ma cuisine, à faire frire des œufs, lorsque la poêle se mit à jouer un air de clarinette. Je n'en croyais pas mes yeux et, dans mon effarement, je laissai s'échapper mes moutons. En me retournant, j'aperçus un capitaine qui me saluait. Pour cacher mon trouble, je lui dis simplement : « Quelle heure est-il ? » et il me répondit : « Je suis ventriloque. »

Que dois-je faire ? Faut-il en parler à mes parents ou attendre que le beau capitaine soit général ? Et ce qui est angoissant, c'est qu'il n'est que lieutenant.

Réponse :

Je devine vos angoisses. Mais il faut être moins nerveuse, et, sans attendre, prendre une douche, mais pas à l'eau : c'est trop calcaire et ça rend méchant. Je vous conseille tout simplement une douche au gruyère râpé, en ayant soin de ne pas râper les trous de gruyère, car c'est tout ce qu'il y a de plus fortifiant. Et puis, si ça ne réussit pas, dites donc à monsieur votre père de se teindre les moustaches. Vous verrez bien.

II

Cas : CHLORYDIANE DE CHATELPOT

Chère cousine Synovie,

Evidemment, j'ai eu tort de vous écrire trop brièvement et, par conséquent, vous avez été impuissante à me donner un conseil efficace. C'est pourquoi (et vous m'en excuserez) je me résous à m'étendre plus longuement.

Je dois vous confier, d'abord, que je suis née dans des circonstances étranges. Mon père était blond et mystérieux, ma mère était coléreuse et tyrolienne, et l'un de mes grands-pères ne portait que des vêtements bigarrés, il n'avait comme fortune que trois grandes sœurs qui furent élevées au vrai fontainebleau jusqu'à l'âge de trente-trois ans.

C'est dans cette famille que je vécus, il y aura dix-sept ans bientôt, et mes premières années furent calmes. Mes parents, malgré le bruit de la rue, s'entendaient bien, mais n'habitaient pas le même appartement. Néanmoins, ils demeuraient dans la même rue et, de leurs fenêtres, pouvaient correspondre par gestes en imitant le chant du cheval. Quand mon père voulait m'embrasser, ma mère me prenait et me lançait, par-dessus la rue, à mon père qui me rattrapait avec dextérité ; et pendant un quart d'heure, il me donnait les premiers rudiments du jardinage en me plantant ses doigts dans mes yeux.

J'étais jolie comme un cœur, et ce furent des années merveilleuses. Ma mère m'envoyait faire le marché dans la rue d'Angoulême et, une fois par semaine, nous allions passer la soirée dans un petit village du Canada, chez le vice-roi des Indes, qui, à l'époque, n'était pas encore brouillé avec mon père.

C'est vous dire, chère cousine Synovie, que cette jeunesse calme et mouvementée devait avoir une influence sur la jeune fille que je devins par la suite, malgré les progrès stupéfiants de l'industrie vélocipédique.

Un jour, mon air sérieux me fit traiter d'ascète par l'épicier. Je rougis comme une crête et me mis à chercher dans le dictionnaire le sens d'ascète que je ne connaissais pas. Je lus : acétique : aigre et acide. Alors je me mis à pleurer, et c'est à ce moment-là que je connus Philibert, jeune homme très correct qui me proposa d'aller sécher mes larmes chez ses parents qui possédaient un aspirateur, car ils étaient philatélistes.

Nous ne tardâmes pas à nous marier, Philibert et moi, et nous ne tardâmes pas non plus à divorcer, nous ne pouvions nous entendre puisqu'il était contrôleur et que moi j'étais comme ces oiseaux de la mer qui ne chantent que pendant les orages.

Profitant d'un moment d'inadvertance où j'achetais un coupon de toile cirée pour me faire un abat-jour-ciel-de-lit, je pris (dégoûtée de la vie) le premier bateau qui partait pour les Indes. Là, je tombai amoureuse du commissaire du bord, un être exquis, qui pendant cette traversée était absent et servait en qualité de maître d'hôtel au mess des officiers de Vladivostok.

Lorsque j'appris qu'il n'était pas à bord, je me jetai à l'eau. A la suite de cette aventure, je ne puis me guérir d'un rhume. Je vous en prie, dites-moi ce que je dois faire. Dois-je renoncer à cet homme ou à ce rhume ?

CHLORYDIANE DE CHATELPOT.

Réponse :

Chère Chlorydiane,

Votre confession me touche beaucoup. J'ai peur pour vous, et si je ne craignais pas de donner la fièvre à mon cheval qui m'attend sur le boulevard, je vous répondrais plus longuement.

Mais puis-je déjà vous dire que je déplore que vous ne soyez pas tombée amoureuse d'un pharmacien !

En tout cas, ayez du courage, rapprochez-vous de madame votre mère au coin du feu, et surtout *ne renoncez pas* ! ! !

90

III

Cas : CRAMOYSINE DE RONDPOINT

Chère cousine Synovie,

Je ne suis plus ni très jeune ni très jolie, mais je suis mieux que cela : je suis autodidacte. Et comme je vous dois toute la vérité, cousine Synovie, il me faut vous dire que je tiens cette décoration de mon cousin qui me la rapporta des Indes, qu'il quitta chassé par les moustiques.

J'aurais dû m'en méfier aussi, mais insensée que j'étais, je ne l'ai pas fait, et voici pourquoi, aujourd'hui, je prends ma tête dans les deux mains et ma plume dans l'autre pour vous écrire. Car vous seule, cousine, allez pouvoir trouver la clef de ma solution.

Dès mon enfance, ma situation de famille a été compliquée. Je suis née orpheline, quoique mes parents vivent encore et sont en parfaite santé ; mais je suis née orpheline de frère et de sœur, étant fille unique. Et ce qui est beaucoup plus grave, c'est que j'ai une sœur jumelle qui me déteste et qui met un faux nez pour me narguer et pour plaire aux jeunes gens du voisinage. Enfin, je ne lui en veux pas, elle est tellement plus vieille que moi qu'elle pourrait être ma petite-fille. C'est vous dire dans quel cercle littéraire je me suis élevée.

Néanmoins, les années de notre enfance s'écoulèrent doucement au bord de l'eau qui baignait notre maison. Car nous habitions une maison, ce qui prouve une fois de plus que notre père était original ; il n'avait pas voulu d'une chaumière : il trouvait ça trop moderne, ni d'un gratte-ciel : il trouvait ça trop écrasé.

L'industrie de mon père était prospère. En effet, c'était lui qui fournissait tout le café au lait en poudre destiné aux troupes du Tonkin. C'est assez dire que je n'eus pas à rougir lorsque le facteur m'avoua que je ne lui étais pas indifférente. Pour la forme, je lui répondis : « Passez votre chemin », mais comme il était dans le fossé il me répondit : « C'est fait », et je n'eus plus qu'à accepter son dernier baiser, car il fut emporté au plus vite par une lettre urgente.

Depuis ce temps, bien des jours ont passé, je suis encore cossue. Ma sœur est le bâton de mes cheveux blancs du fait qu'elle a épousé un ingénieur des ponts et chaussées qui imite Maurice Chevalier d'une façon stupide.

Mais j'ai encore gardé l'espoir. Vite, cousine Synovie, à mon secours ! Répondez-moi sans tarder et dites-moi si je puis broder une nappe avec des fils de haricots.

CRAMOYSINE DE RONDPOINT.

Réponse :

Madame de Rondpoint

J'avoue ne pas comprendre votre émoi, et le conseil municipal de Saint-Germain-en-Laye, que j'ai interrogé à votre sujet, hésite à donner sa démission.

Voyons. Réfléchissons bien. Etes-vous sûre que, dans votre entourage, quelqu'un n'a pas monté la tête à la petite ?

IV

Cas : PETROUCHKA DU BOULOT

Chère cousine Synovie,

Avant de vous en dire plus long, je vous déclarerai que j'ai une bonne santé et une mauvaise circulation, car j'habite une rue très encombrée. Ne vous en ayant pas dit davantage, mon tempérament d'amazone m'indique déjà que le scalpel de votre perspicacité a eu vite fait de faire un vol piqué dans le velours de ma belle âme.

Et ainsi cet aveu vous facilitera cette réponse de votre part qui doit me soulager moralement et physiquement.

Je ne suis pas banale, étant chinoise par mon grand-père né à Paris qui s'entêta pendant une partie de sa vie à rire jaune lorsqu'on jouait *Le Beau Danube bleu* devant le Moulin-Rouge. C'est vous dire mon goût pour le maquillage.

Livrée à moi-même après la mort subite de ma nourrice ravie à l'affection des siens par un mameluk égaré dans la plaine Saint-Denis, j'ouvris un salon littéraire dans une rue barrée, et c'est là que je connus Charles.

Charles !

Cher Charles, il n'avait pas un beau visage, mais il avait le hoquet, et comme j'étais musicienne, c'est ce qui me séduisit en lui. Il n'y en avait pas deux comme lui pour me dire que j'avais un col de cygne et un estomac d'autruche. Sa confusion faisait son charme, et pour lui être agréable alors qu'il se perdait en excuses, je me perdais dans les rues, ce qui faisait que nous ne pûmes jamais nous retrouver à un rendez-vous.

Il faut vous dire qu'à l'époque, la vie était moins chère, on avait un château pour une bouchée de pain. Il était venu à Paris pour y continuer ses études sur les fraises somnambules, dans l'art mérovingien, ne possédant qu'une bouchée de pain avec laquelle il m'acheta un château. Mais je fus obligée de revendre le château pour m'acheter une bouchée de pain, ayant faim à la longue, et en quelques bouchées je mangeai mon pain et le château. J'étais à nouveau sur la paille que je mis dans mes sabots, ayant froid aux oreilles.

Vous voyez donc que vingt ans de voyages dans les mers australes n'avaient pas éteint cette soif de semoule qui était innée chez moi, même pendant les mois en R.

Mon mariage avec l'organiste, dont je ne vous ai pas parlé, ne fut qu'une passade, et je le quittai sans remords lorsque je m'aperçus que son trousseau qui se composait d'un fourneau à plisser les crêpes georgette avait des points noirs sur le nez ; et l'on nous montrait du doigt dans la rue ; c'était désobligeant.

Enfin, après mille aventures de route, j'arrivai dans mon village natal où je fus reçue par un troupeau d'oies sauvages qui me souhaitèrent la bienvenue en m'offrant un très joli bronze de chez Barbedienne, que je revendis pour m'acheter une sourdine pour trompe de chasse. Car mon plexus solaire avait baissé de trois tons en longeant le chemin de halage. C'est alors que je revis Charles.

Croyez-vous que je le reverrai encore et puis-je espérer ?

PETROUCHKA DU BOULOT.

Réponse :

Evidemment, chère petite Petrouchka, vous êtes très franche, mais croyez-vous que Charles soit vraiment digne de vous et j'irai même plus loin : croyez-vous que vous soyez digne de Charles ? J'ai connu un cas analogue. C'était le mien. Faites donc comme moi, essayez du tilleul-menthe, à moins, évidemment, que vous soyez ambidextre. Ecrivez-moi, et ne soyez plus si chiche de détails.

94

LA LEGENDE DES ŒUFS DURS

« Je veux des œufs, des gros œufs pour mon petit Noël ! » hurlait comme un perdu le jeune Alcide, un bambin de trois ans. « Papa... si tu ne me rapportes pas des œufs, je ne suis plus ton fils et je quitte la maison familiale. »

Le pauvre père partit comme un fou. Des œufs... il avait battu toutes les fermes et même les fermières du pays, il avait supplié les poules à genoux pour satisfaire au caprice de l'enfant. Hélas ! pas plus d'œufs dans le pays que de beurre d'anchois dans le Stromboli.

Le père se traînait, las et désespéré quand soudain, en passant devant l'estaminet de la Truite-sans-monnaie, une idée vint frapper son cerveau : là, devant lui, sur le billard, les trois boules d'ivoire attendaient un prochain carambolage. Dans un coin, le patron et des clients jouaient aux cartes. Le père entre, s'empare des trois billes et, ivre de joie, il bondit à la maison.

« Tiens, s'écrie-t-il en entrant, tiens, voilà tes trois jolis œufs... regarde comme ils sont gros. »

L'enfant, fou de bonheur, prit dans ses petites menottes les trois jolis œufs de billard... et les mangea.

Des jours passèrent, les poules pondirent de

nouveau, et enfin on put faire des œufs à la coque à l'enfant.

« Non, non, s'écria-t-il en les jetant au visage de son père, ils sont trop mous, j'en veux des durs, des bien durs, comme ceux que j'ai eus pour mon petit Noël. »

FERNAND RAUZENA.

UNE DISCUSSION QUI TOURNE BIEN

Dimanche dernier, vers 18 heures, à la sortie d'un débit, deux individus se prenaient de querelle pour un motif futile.

Bientôt, le plus fort des deux se précipita sur son adversaire dans le dessein de lui flanquer une pile.

L'autre se mettait déjà sur la défensive lorsqu'il s'aperçut que la pile dont on le menaçait était une pile « Vent d'Air ».

Il tendit aussitôt les mains à son agresseur et la réconciliation eut lieu au milieu de l'allégresse générale.

La pile d'assiettes « Vent d'Air » ne tombe jamais par terre.

CONTE POUR LIRE A DEUX
SEPAREMENT

VERSION MYOPE

MADEMOISELLE ABET NE VOYAIT PAS PLUS LOIN QUE LE BOUT DE SON NEZ CANDIDE.

ET ELLE EN ETAIT BIEN CONTENTE.

— AUPRES DE MA BRUME QU'IL FAIT BON, FAIT BON! CHANTONNAIT-ELLE TOUS LES JOURS APRES UN DELICAT DEJEUNER COMPOSE DE NUAGES DE CREME ET DE COLIN-MAILLARD...

ENSUITE, COMME ELLE AVAIT DEUX DOIGTS DE GENIE ET HUIT DE FEE, ELLE TRAVAILLAIT GAIEMENT DANS LE FLOU POUR UNE TRES HAUTE COUTURIERE, ADOREE DES TAMBOURS-MAJORS...

VERSION PRESBYTE

M. Béat, lui, avait les yeux bridés comme ceux d'un alezan mongol. Il n'y voyait que de loin. De près, il confondait les docteurs, les autobus et les pessimistes.

Ce don précieux lui ouvrit la carrière de fakir-comptable dans un presbytère tibétain.

Là, il œuvrait sur un « brouillard » et chiffrait joyeusement des messages pour l'au-delà de la Norme.

Il vivait ainsi, heureux, ne regardant jamais en arrière, de peur d'apercevoir la Tondeuse (Nº Hun) d'Attila, ou la flamboyante carrosserie d'un autodafé...

CONCLUSION BINOCULAIRE

... Mais un jour, Mlle Abet et M. Béat s'en laissèrent conter par un vieux serpent à lunettes. Ils se mirent à porter besicles. Et le Monde leur apparut tel qu'il est : cerclé de fausse écaille, comme une bonbonnière Empire pleine de bonbons acidulés.

97

Ils en eurent les dents si agacées qu'ils brisèrent leur binocle. C'était du verre blanc. Ils se marièrent dans l'année...

Don Charl'os.

BULLETIN METEOROLOGIQUE

Le Temps qu'il aurait dû faire la semaine dernière.

Dans les régions Nord, parisienne, Nord-Ouest, Bretagne et Ouest : quelques belles averses coupées de pluvieuses éclaircies.

Région Sud, Sud-Est, Aquitaine, Franche-Comté, Saint-Pierre-et-Miquelon : température voisine et adjacente de l'état du ciel. Fortes chaleurs alternant avec le verglas caniculaire.

Centre, Massif Central, Société Générale et Banque des Pays-Bas : brouillards matinaux, mer d'huile avec filet de vinaigre sur les hauts plateaux.

Température moyenne générale : maximum, 38°5 ; minimum, 39°8.

Si vous n'avez pas eu ce temps-là dans la région que vous habitez, adressez-nous vos réclamations ; nous nous ferons un devoir de nous les transmettre à toutes fins utiles.

EVHEMERE LE PHILOSOPHE

Avez-vous lu l'œuvre d'Evhémère ? J'espère que oui, car elle en vaut la peine. Drôle d'homme que cet Evhémère et curieuse destinée que la sienne ! Il naquit, selon les uns, à Messine, dans le Péloponnèse, et à Agrigente, en Sicile, selon les autres ; d'aucuns, qui n'étaient ni les uns ni les autres, ont prétendu qu'il était natif de ces deux villes ; personnellement, je n'en crois rien, mais il faut tenir compte d'une quatrième version qui l'aurait fait naître à Villeneuve-la-Garenne ; ce qu'il y a de certain, c'est qu'Evhémère était grec et vivait au IVe siècle avant J.-C.

Il est probable que son véritable nom était Ephémère, mais son père qui était alsacien s'exprimait avec un accent déplorable et le déclara à l'état civil de telle façon que son nom fut enregistré avec la déformation qui transformait les p en v.

Evhémère fut ami intime de Cassandre, roi de Macédoine, et les parties de salade russe qu'ils firent ensemble ne se comptent plus ; Cassandre le chargea de missions importantes ; il visita pour ce prince l'océan Indien et séjourna dans l'île de Panchaïe, à proximité des côtes orientales de l'Arabie, où il avait trouvé un appartement de trois pièces et une cuisine, tout à fait confortable et pas cher. Il est l'auteur du système qui explique la mythologie par l'histoire :

suivant lui, Jupiter, Saturne, François-Poncet et tous les dieux de l'Olympe n'étaient que d'anciens rois ou des personnages attachés à leur suite qui avaient autrefois séjourné dans l'île de Panchaïe ; Il alla même jusqu'à laisser entendre que Junon avait servi en qualité de femme de ménage chez Minerve pour que Jupiter puisse passer son permis de conduire la foudre, ce qui nécessitait quelques frais supplémentaires.

Les écrits d'Evhémère furent traduits par Ennius en latin, et en correctionnelle par les Epicuriens ; l'abbé Sevin, Fourmont et Foucher ont inséré de savantes dissertations sur Evhémère dans les mémoires de l'Académie des Inscriptions ; ce qui prouve que ces messieurs n'avaient pas grand-chose à faire dans la vie.

On ne sait absolument rien sur sa mort, à tel point qu'on n'est pas exactement sûr de son décès ; un de ses descendants tient actuellement un café-tabac au cap Horn et un autre est tourneur sur derviche à Singapour. C'était, en vérité, une curieuse figure que cet Evhémère !

ON NE PEUT RIEN
CONTRE LA FATALITE
OU : L'ETRANGE DESTINEE
DE SEBASTIEN DE MONTECUCULLI

Sébastien de Montecuculli était un garçon très bien ; d'excellente famille, il naquit à Ferrare, non point par préférence particulière, mais parce que c'était sa ville natale. Il hésita longtemps dans le choix d'une carrière, à tel point qu'il conçut un moment le projet de devenir hésitant professionnel ; c'est à ce moment précis — à une demi-heure près — que Catherine de Médicis l'emmena en France, ou, plus exactement, qu'il vint à sa suite. Catherine de Médicis, on s'en souvient, n'avait rien de commun avec les gommeuses de 1900 qui chantaient : « Regardez-moi dans l'œil. » Ce n'est pas qu'elle détestait la rigolade, mais enfin, ça se passait plutôt en dedans et ça s'extériorisait par des manifestations qui ne faisaient pas particulièrement se fendre la pipe aux gentlemen à qui elles étaient destinées ; ça ne l'empêcha cependant pas de donner une charge au jeune Sébastien qui, devenant de plus en plus montecuculli, fut attaché au Dauphin, fils aîné de François Ier, en qualité d'échanson. Au cours d'un voyage à Tournon, le Dauphin, qui avait très chaud, dit en son jargon dauphinois :

« — Il fait soif.

— Voulez-vous boire un coup ? que lui proposa l'échanson.

— C'est pas de refus, que refit le Dauphin.

— Voulez-vous de la bière ? proposa Sébastien.

— Voui, que dit le fils de François Ier.

— Je n'en ai pas, fit l'autre, je n'ai que de l'eau fraîche.

— Ça a le même goût », remarqua finement le Dauphin, heureux de se désaltérer ; tant et si bien qu'il en mourut quatre jours après. Le pauvre Sébastien fut accusé de l'avoir empoisonné ; il subit la question et, sous la torture, avoua tout ce qu'on voulut, quoique innocent. Il fut écartelé en 1536 et ses derniers mots furent : « On ne pourra pas dire que, jusqu'à la fin, je ne me serai mis en quatre pour mes amis. »

Pour réhabiliter sa mémoire, on a donné son nom à une voie de Paris : la rue du Bac ; c'est une mince compensation, mais ça vaut tout de même mieux que rien.

CHRISTIAN LONGOMONTANUS

Christian Longomontanus n'appartint jamais à cette catégorie d'hommes qui tirent leur réputation de je ne sais quelles besognes plus ou moins recommandables ; ce personnage fameux exerça en son temps la noble profession d'astronome ; il naquit à Laengsberg (Jutland) en 1562, qui, comme chacun s'en souvient, fut une année exceptionnelle pour le charbon de bois ; le charbon de bois de 1562 est demeuré célèbre.

Longomontanus fut disciple de Tycho-Brahé qui s'y connaissait particulièrement en astronomie et qui, en outre, est universellement connu pour avoir inventé une pâte à dégraisser les hauts-de-chausse.

Longomontanus devint recteur de gymnase de Viborg et c'est là qu'il conquit la notoriété en pratiquant l'astronomie aux anneaux et sur les barres parallèles ; il enseigna les mathématiques à Copenhague et à ses élèves et mourut dans cette ville en 1647, qui fut encore une excellente année sauf pour lui.

Christian Longomontanus a laissé divers ouvrages, pas mal de dettes et un excellent souvenir dans son quartier.

On a de lui *Astronomia danica* dans laquelle il cherche à concilier Tycho-Brahé avec Copernic, ce qui prouve que c'était un brave homme, animé d'un pur sentiment d'arbitrage ; il admit le mouvement diurne de la Terre tout en rejetant le mouvement annuel ; quand on lui demandait sur quoi il se basait pour rejeter le mouvement terrestre annuel, il répondait que c'était son affaire et que ça ne regardait que lui, ce qui, à mon avis, était parfaitement son droit.

Enfin, Longomontanus croyait avoir trouvé la quadrature du cercle en étayant son raisonnement sur des idées personnelles qu'il ne réussit d'ailleurs à ne jamais faire partager à personne sauf à sa femme de ménage qui était une créature d'élite et de compréhension particulière.

LA VIE HEROIQUE
DE OSMAN-PASSWAN-OGLOU,
FAMEUX REBELLE TURC

Il y a aujourd'hui exactement, jour pour semaine, cent quatre-vingt-un ans que naquit à Widdin Osman-Passwan-Oglou, ce qui ne le rajeunit pas et nous non plus.

Il passa aussi vite qu'il le put les années de son enfance et devint rapidement un fameux bougre ; à quinze ans, il entra comme demi-interne et trois quarts externe à l'école professionnelle de la rébellion et en sortit à dix-huit ans avec son diplôme turc de première classe.

C'est à ce moment que mourut fortuitement, et sans un jour de maladie, son père Passwan-Omar-Aga que le Grand Vizir avait fait décapiter, parce que, prétendait-il en son jargon, il avait une tête qui lui revenait. Osman-Passwan-Oglou mit incontinent les voiles et se réfugia dans les montagnes que son père avait fait édifier pour donner du caractère au pays.

Il y fit la guerre en partisan et en costume de sport ; il prit Widdin et se soutint opiniâtrement avec des légumes verts et pendant plusieurs années contre toutes les forces envoyées pour l'anéantir.

Il signa plusieurs traités avec la Porte qu'il rompit en enfonçant cette dernière à coups d'épaule ; il finit par obtenir, avec son pardon, le sandjakat de Widdin dont il devint l'imprésario exclusif jusqu'en 1707, époque à laquelle il endossa un magnifique paletot de sapin qui mit fin à sa carrière.

Paris doit à Osman un magnifique boulevard qui porte son nom ; il fit beaucoup pour l'industrie horlogère auprès de laquelle son patronyme est demeuré légendaire ; aujourd'hui encore, lorsqu'un quidam va porter sa montre au Crédit Municipal, ne dit-il pas : « Je vais porter ma montre Oglou » ?

PIERRE DAC.

LA GREFFE MOBILIERE

C'est le professeur Hermann Schmuhlengaufre de l'Institut fédéral d'ébénisterie anatomique et esthétique de Stuttgart qui vient de mettre au point cette extraordinaire découverte grâce à laquelle il sera désormais possible à tout un chacun d'acquérir, sans l'acheter, un meuble nouveau, en greffant simplement une partie d'un meuble quelconque sur une autre partie d'un non moins quelconque autre meuble.

Exemple : Pour avoir une console Louis-Philippe, vous sciez le pied d'un guéridon Henri IV et vous le fixez solidement sur le côté gauche d'une table à ouvrage Empire à l'aide d'une colle spéciale à base de couscous finlandais et de gingembre du Hainaut. Automatiquement, le pollen du guéridon Henri IV fécondera le pistil de la table Empire qui, au bout de la période normale de gestation, engendrera une console Louis-Philippe normalement constituée, mais dont la fragilité nécessitera les soins les plus attentifs pendant la période qui suivra les relevailles.

COMMENT DETOURNER
UN FLEUVE DE SON LIT

Voici un petit travail charmant, instructif, peu coûteux, et qui, en plus, rendra service à la bonne ménagère qu'est votre épouse, Monsieur. Je vous le recommande pour passer chez vous vos dernières soirées avant les vacances pendant que la bonne ménagère qu'est votre épouse empile les malles, les crevettes et les limandes que vous allez manger au bord de la mer.

Vous allez voir comme c'est amusant et comme c'est simple. Vous prenez un billet circulaire et vous allez choisir votre fleuve. Je vous conseille de vous procurer un fleuve furieux, vous le rendrez de fort mauvaise humeur en le changeant de lit, et vous en rirez beaucoup, car c'est toujours très amusant de taquiner un fleuve.

Il faut également que le cours d'eau soit jeune ; s'il est vieux, il est maniaque, il aime son lit, et, malgré le charme que vous puissiez employer, vous ne le forcerez jamais à découcher.

Votre choix fait, vous apportez un sommier confortable avec matelas en bonne laine, et vous le placez tout près du lit du cours d'eau. Vous pouvez, si vous voulez, mettre sur votre sommier des roseaux et quelques goujons, mais c'est facultatif.

Puis vous vous adressez au fleuve en lui montrant

le sommier et en lui disant : « Kss, kss, kss... »
accompagné d'un petit mouvement de l'index.

L'imprudent se laisse prendre, quitte son lit, et
vous, vous passez le reste de la soirée à rire de votre
bonne blague.

L'ECLIPSE A DOMICILE

L'éclipse — de Lune ou de Soleil — est un
phénomène malheureusement trop rare ; cependant,
en notre époque de vulgarisation scientifique, il est
loisible à tout un chacun d'organiser à sa convenance et à domicile une éclipse semblable en tout
point à une véritable éclipse. Voici la marche à
suivre : prenez un fromage blanc, de forme ronde
autant que possible, et tenez-le dans votre main
gauche ; de la main droite, maintenez solidement
une boîte de cirage noir, de diamètre sensiblement
égal à celui du fromage blanc ; faites passer alors très
lentement devant ce dernier la boîte de cirage et
vous aurez ainsi l'illusion absolue d'une magnifique
éclipse de Lune ou de Soleil suivant que vous opérez
le jour ou la nuit.

Pour que l'illusion soit parfaite, ayez soin de
chausser votre nez de lunettes munies de verres en
saumon fumé.

POUR FAIRE SOI-MEME
LE NETTOYAGE
D'UN VIEUX PROSPECTUS

On peut très bien remettre un vieux prospectus en
état sans avoir recours aux soins coûteux d'un
spécialiste.

Nous n'indiquerons qu'un seul procédé qui permet d'opérer sans décaper, pour l'excellente raison que nous n'en connaissons pas d'autres.

On utilise un tampon de coton trempé dans de l'essence de térébenthine mélangée à de la soupe aux merlans filtrés et on le passe brutalement en tous sens sur le prospectus à éclaircir, en poussant des cris de rage.

Changez le tampon chaque fois qu'il est sali et le prospectus quand il est déchiré.

AMATEURS

Quand il fait très chaud, mangez des sandwiches à l'alpaga. C'est frais, léger et fort bien toléré par les estomacs complaisants. Refusez toutefois et obstinément l'alpaga de conserve et, dans la mesure de vos moyens, faites faire vos sandwiches sur mesure, en exigeant au moins deux essayages.

NE PERDEZ PAS DE TEMPS !

Si le numéro de téléphone de votre correspondant n'est pas libre... demandez-en un autre.

AVIS IMPORTANT

N'achetez donc plus de cravates...
Portez la barbe.

UNE VISITE A L'INSTITUT GALVANO-MECANO-GASTRONOMIQUE

« Un pli pour vous, m'sieur Paraboum !

— Donnez, huissier.

— Voilà, m'sieur Paraboum ! »

Je sursautai :

« Mais c'est un pli de pantalon que vous me remettez !

— Oui, m'sieur Paraboum, mais vous n'avez qu'à décacheter l'ourlet.

— Ah ! parfait. »

Et, ayant décousu l'ourlet, je découvris à l'intérieur du pli la lettre que voici :

« Mon cher Ami, vous avez peut-être entendu parler du nouvel institut galvano-mécano-gastronomique dont j'ai l'honneur d'être le créateur, et qui a pour but de simplifier les méthodes culinaires actuelles en les adaptant à un plan ultra-moderne d'après les dernières découvertes scientifiques ? C'est aujourd'hui l'inauguration. Voulez-vous me faire l'amitié d'y assister ? Voici l'adresse : 46 *bis,* avenue des Trois-Gencives. Bien à vous et bon appétit !

LEOPOLD LAVOLAILLE. »

Deux heures plus tard, montre en main, je prenais contact avec la nouvelle et magnifique réalisation de notre ami Léopold Lavolaille.

L'emplacement de l'institut constitue déjà une trouvaille de génie, car il prédispose par son aspect riant et reposant à l'euphorie totale et à l'indulgence qui sont de mise dans les circonstances qui s'y rapportent. L'avenue des Trois-Gencives, où est édifié l'institut, est, en effet, une avenue comme on en voit peu : entièrement macadamisée en terre battue, elle offre un aspect de charmant laisser-aller et d'élégance négligée. Il n'y a évidemment pas de trottoir mais de solides cordages suffisent à délimiter les endroits dévolus aux piétons et aux voitures.

De splendides peupliers alternent avec des pâquerettes et des touffes de lapis-lazuli. Au vrai, les peupliers ne s'élèvent pas verticalement, mais sont couchés en travers de l'avenue, ce qui simplifie singulièrement la circulation et la cueillette des feuilles. De charmants bambins, d'ailleurs, s'en donnent à cœur joie, profitant de l'occasion qui leur est offerte de grimper au faîte des peupliers sans quitter le sol. Mais ne nous laissons pas attendrir par ce spectacle bucolique et passons maintenant aux choses pratiques...

L'institut est tout simplement un des plus purs joyaux de l'architecture moderne ou, tout au moins, le sera, car, à la vérité, en ce moment, il n'est pas entièrement terminé, ce qui est le sort commun de toutes les grandes entreprises. Il convient toutefois de signaler une légère erreur dans la construction : on a mis le plafond à la place d'un mur, mais ça ne nuit en rien à l'esthétique générale, car au fond, un plafond, qu'est-ce que c'est ? C'est un cinquième mur qu'on a mis horizontalement.

Une nombreuse et élégante assistance se presse dans la grande salle, ornée de nombreux appareils dont je vous expliquerai le fonctionnement tout à l'heure, et qui rappellent un peu ceux que l'on voit actuellement dans les bars automatiques, mais par l'aspect seulement, car leur perfection est telle qu'il est inutile d'établir le moindre point de comparaison.

Au mur central est accroché un immense tableau. C'est une allégorie de circonstance intitulée : « La nourriture terrassant la faim », et qui représente un homme à cheval projetant le contenu d'une louche de riz au gras dans le gosier d'un sertisseur de pommes au lard, dont le père, représentant en rasoirs mécaniques, tombe à genoux pour remercier le généreux donateur. Cette peinture est saisissante de vie et de vérité, et la foule défile devant elle silencieuse et émue.

Je crois d'ailleurs que l'heure du déjeuner officiel d'inauguration ne va pas tarder à sonner. Effectivement, j'entends le signal qui donne le départ des agapes gastronomiques...

Tous les invités se précipitent vers les appareils, et nous-mêmes allons en faire autant.

Nous passons dans la salle des hors-d'œuvre, car il convient de vous signaler qu'il existe une salle spéciale pour chaque catégorie de mets. Nous sommes présentement en face d'une espèce de coffre-fort sur lequel il y a écrit : « Pour les hors-d'œuvre mettre 15 francs dans la fente de l'appareil. »

Ah ! eh bien ! il n'y a qu'à s'exécuter. Allons-y.

Dans le haut de l'appareil un voyant vient de s'allumer, le mot « merci » apparaît en lettres noires sur un fond de commerce... et rien ne sort ! Ah ! l'appareil doit être détraqué.

« Pardon, monsieur l'ingénieur, l'appareil à hors-d'œuvre ne marche pas ?

— Impossible, monsieur, l'appareil fonctionne normalement.

— Mais, pardon, monsieur, j'ai mis quinze francs dans l'appareil et je n'ai rien.

— Comment, vous n'avez rien ? Le mot « merci » n'est pas apparu sur le voyant ?

— Ben... si...

110

— Eh bien ! alors, monsieur, on est poli avec vous, qu'est-ce que vous voulez de plus ?

— Ben, des hors-d'œuvre...

— Monsieur, j'ai l'impression qu'il y a un affreux malentendu. Voyons, qu'est-ce qu'il y a d'écrit sur cet appareil ? Il y a « pour les hors-d'œuvre, mettez quinze francs », car remarquez bien, il n'y a pas écrit : « pour avoir les hors-d'œuvre », il y a écrit : « pour les hors-d'œuvre ».

— Et alors, monsieur, je ne comprends pas...

— Vous avez mis quinze francs pour les hors-d'œuvre. Eh bien ! les hors-d'œuvre vous remercient. Voilà ! C'est tout...

— Ah ! voilà la chose ?

— Oui, voilà la chose...

— Bien monsieur, merci, c'est tout de même épatant. Quelle subtilité et quelle délicatesse dans ces hors-d'œuvre ! »

Un de mes voisins proteste :

« Oui... ça, je ne dis rien contre, mais ça ne garnit pas beaucoup l'estomac.

— Je vous en prie, monsieur, ne soyez pas terre à terre. Nous sommes ici devant un appareil de nourriture spirituelle.

— Si vous trouvez ça spirituel, moi je trouve ça tout à fait de mauvais goût.

— Comment pouvez-vous trouver ça de mauvais goût puisque vous n'y avez pas goûté ?

— Je n'ai rien à répondre devant une logique aussi impeccable, mais c'est de mauvais goût quand même. »

Après cette dégustation de principe, nous allons pénétrer dans la salle la plus intéressante de l'institut dite : salle de la Synthèse, où tout ce qui contribue à la gloire de la cuisine française est mis en œuvre pour la joie des palais les plus délicats.

Il y a là une douzaine d'appareils reliés à une machine centrale vers laquelle converge tout ce qui fut rêvé par l'auteur de *La Physiologie du Goût*. Là, une pancarte porte les mots suivants : « Mettez vingt-cinq francs et vous recevrez le plat synthétique composé de foies gras aux truffes au porto d'origine, de poularde impériale garnie à l'intérieur de poussins de Hambourg à la gelée, de truites du lac à la Maintenon, de profiteroles à la façon du chef de musique, et de tranches de venaison à la crème de marron, le tout lié avec une soubise rehaussée de croustade de merlans. »

J'en ai l'eau à la bouche et, sans plus attendre, j'introduis dans la fente trois pièces de cent sous, une pièce de dix sous, un chèque barré d'un franc cinquante, quarante petits sous, cinquante gros sous, et quatre pièces de vingt-cinq centimes, ce qui fait exactement vingt-cinq francs.

Cette fois, la pancarte n'a pas menti. Nous voyons arriver vers l'appareil central les différents plats précités. Ils évoluent sur des petits chariots de cristal, ils sont maintenant tous parvenus à proximité du malaxeur principal dans lequel ils tombent un à un. Nous ne voyons plus rien, car le travail de mélange synthétique est en train de s'effectuer.

Ah ! ça y est ! Je vais pouvoir me régaler. Il ne me reste plus qu'à ouvrir la boîte d'arrivée pour prendre le plat.

Mais je sursaute... En fait de plat, on dirait bien plutôt que c'est un jeu de loto !

C'est probablement une erreur... J'appelle l'ingénieur :

« Pardon, monsieur, il y a encore quelque chose qui ne va pas... J'ai mis vingt-cinq francs... pour recevoir un jeu de loto !

— Ah ! monsieur, réplique-t-il, toutes mes excuses, je suis vraiment désolé. Vous savez, monsieur, tout ça est neuf, ce n'est pas encore tout à fait au point. Effectivement, c'est une erreur.

— Heureux de vous l'entendre dire, monsieur. Ainsi, ce n'est pas un jeu de loto que j'aurais dû recevoir ?

— Non, monsieur, c'est un jeu de dominos.

— Merci, monsieur. »

Sur ce, je me relevai dignement et me précipitai dans le premier bar venu pour y commander en vitesse un café-crème avec des croissants.

G. K. W. Van den Paraboum.

UN HORRIBLE DRAME EVITE
DE JUSTESSE

Dans le paisible quartier que cette seule dénomination nous fera reconnaître sans qu'il soit besoin de le désigner plus clairement règne encore actuellement une sorte de terreur panique provoquée par l'horreur du drame dont nous vous parlons. Voici les faits :

Au 22 *bis* de ce quartier habite depuis bientôt huit jours une honorable famille qui a su conquérir l'estime de ses concitoyens à force de probe labeur et de labeur besogneux.

Le père, la mère, trois grands-pères, quatre grand-mères et huit bambins vivent là en parfaite harmonie, sans que rien ne vienne jamais troubler le ciel serein de cet horizon familial. Et c'est ici que se place le drame : on frémit en pensant aux abominables conséquences qui auraient pu se produire, si l'idée d'un meurtre collectif avait soudain germé dans le cerveau du chef de la communauté. Heureusement, il n'en a rien été ; ce brave homme à d'autres occupations et pareille pensée ne l'a jamais effleuré ; donc, la question ne se pose pas.

Tout de même, quand on évoque ça dans le quartier que je vous cause et que je vous entretiens, on sent un drôle de frisson vous parcourir la sciatique solaire.

SI VOUS ETES CHAUVES !
VOUS POUVEZ LE RESTER
INDEFINIMENT EN UTILISANT
REGULIEREMENT LA LOTION
SUIVANTE :

Sulfate d'ammoniaque : 125 g.
Bisulfate d'ammoniaque : 250 g.
Alcool d'éthyle ammoniacal : 42 gouttes.
Intrait virtuel d'ammoniaque sulfuré : 1 soupçon.
Stigmates d'ammoniaque : 75 grains.
Ammoniaque en branche : 1/2 boisseau.
Liqueur complexe d'ammoniaque de Schweitzer :
1 pichet.
Sels d'ammoniaque à la cyanamide calcique : au jugé.
Ammoniaque au nitrure d'aluminium : 1 paquet.
Phosphate d'ammoniaque barattée : 1 pincée.
Chlorure d'ammoniaque muriatée : 85 centilitres.
Ammoniaque du commerce : 1 carafe.

Une bonne friction avant, pendant et après chaque
repas, ainsi qu'avant, pendant et après le coucher. Sécher
au réveil avec de l'ammoniaque pilée N.H. 32, selon la
formule de Berthollet.

LE SAUCISSON DE LAC

Le saucisson de lac ressemble par plus d'un point à une truite ; à une truite qui aurait l'aspect d'un saucisson, naturellement, à une truite saucissonnée pour tout dire, car, puisqu'il y a des truites saumonées, rien ne s'oppose à ce qu'il y ait des truites saucissonnées et des saucissons truités.

Le saucisson de lac est vivipare ou ovipare, et quelquefois les deux à la fois ; il peut être également ni l'un ni l'autre. La capture du saucisson de lac est extrêmement difficile : à vrai dire, on n'en a jamais pris et personne n'en a jamais vu ; on sait simplement qu'il existe et encore on n'en est pas absolument certain ; on le suppose ; mais, enfin, si l'on ne s'en tenait qu'aux choses palpables et visibles, on ne saurait pas grand-chose.

Démosthène a bien existé ; or, je ne pense pas que quelqu'un de la génération actuelle l'ait jamais rencontré ; et pourtant, à son époque, beaucoup de gens le fréquentaient ; donc, ce qui est vrai pour Démosthène peut l'être aussi pour le saucisson de lac. Tout ça, dans le fond, est une question de dosage et de compréhension mutuelle.

DEMANDES D'EMPLOI

● **Plongeur de restaurant** polyglotte demande place traducteur pour assiette anglaise et salade russe.

● **Charbonnier** ayant idées noires demande place blanchisseur.

● **N'ayant aucune imagination,** cherche situation scénariste dans grande firme cinématographique.

OCCASIONS

● **Machine à écrire** pour lettres de rupture, avec ruban au rimmel et compte-gouttes pour trace de larmes : 3 653,25 F. Larmes de rechange : 10 F pièce ; larmes sur l'épaule droite, 10 sous ; larme à gauche, 3 F ; larme à la bretelle, 6 sous.

● **Perche en bambou** permettant de tenir la dragée haute à ses concitoyens : 4,10 F.

● **Curriculum vitae.** Modèle ordinaire, 12 F. Curriculum à 4 vitae, 20 F ; à changement de vitae, 25,90 F.

● **Crochet** pour tirer les cartes, 1 F. Cartes à poignées, 4,40 F.

● **A vendre :** 1° Très grand violon pouvant servir de violoncelle ; 2° Petit violoncelle pouvant remplacer violon.

● **Marguerites pour fiancés,** modèle spécial à nombre de pétales donnant toujours « passionnément ».

● **A vendre :** Souliers fatigués, la paire : 3,75 F ; souliers lassés, 19,55 F ; souliers lassés sans lacets, 1,25 F ; lacets de souliers lassés, 0,15 F.

● **Pull-over** en haine tricotée, article spécial pour vindicatif frileux. Les 6 en boîte de 12 : 9,95 F.

● **« La S.N.C.F. à travers les âges »,** grand roman en 8 tomes et 40 chevaux. L'édition complète, livrée à domicile, 1 250 F.

AVIS ET CORRESPONDANCES

● **Lycéen cherche blanchisseuse** habile pour l'aider à repasser ses leçons.

● **Nounou viens vite** pipi popot. Signé Toto.

● **La « Grattsuie and Cie Limited »** fait savoir à son aimable clientèle que, moyennant un léger supplément, elle effectue les ramonages à domicile.

L'ELEVAGE DES PLASTRONS

« Salut ! Fraternité ! Et bonnet à poil ! »

Il n'en fallait pas davantage pour que je reconnusse mon vieil ami Adhémar de la Cancoillotte, ce preux soldat, ce guerrier au grand cœur dont la vie, toute de dévouement et d'abnégation, avait été vouée, avant une retraite bien gagnée, à l'art militaire pour se brillamment terminer au grade de capitaine d'habillement.

Après un silence qui menaçait de se prolonger indéfiniment comme une rue du même nom, Adhémar de la Cancoillotte, tout à coup, demanda :

« Avez-vous des nouvelles de Feuillemolle ?

— Il est fermier.

— Fermier ?... C'est impossible !... Feuillemolle a plus d'envergure, plus d'imagination que cela !... Il ne saurait tomber dans la banalité.

— Bien sûr !... Mais est-ce que vous imaginez que Feuillemolle possède une ferme ordinaire ?

— Alors ?... Qu'est-ce qu'il fait dans cette ferme ?

— De l'élevage.

— Bien sûr de l'élevage... Mais de l'élevage de quoi ? »

Le capitaine, soudain loquace, m'expliqua :

« Tenez-vous bien... Inaugurant une formule nouvelle qui correspond à un angle du tournant de la marche du monde, notre ami Feuillemolle fait l'élevage du plastron.

— Oh ! alors, là, je m'incline.

— Il était temps.

— Je comprends, c'est une race qui s'éteint... Il n'y a que quand on se trouve en face de réalités qu'on se rend compte des choses.

— Mais oui, pensez-y, qu'est-ce que deviendrait l'humanité, du jour au lendemain, s'il n'y avait plus de plastrons ?

— Oh ! c'est effrayant d'y songer !

— Et c'est toujours la même histoire, toujours les mêmes causes : carence des pouvoirs publics. Enfin, est-ce que depuis longtemps les conservateurs des eaux et forêts n'auraient pas dû prendre des mesures énergiques pour enrayer la disparition du cheptel de plastrons !

— C'est honteux !... Mais il n'y a qu'à porter plainte.

— Et auprès de·qui ?

— Eh bien, du ministre des Postes ! »

Adhémar de la Cancoillotte, après avoir bu une gorgée à la gourde de rhum qui pendait à sa selle, reprit :

« C'est exact... C'est exact, mais c'est inutile, puisque notre ami Feuillemolle, comprenant le danger, a, une fois de plus, remplacé les pouvoirs défaillants et a consenti à s'isoler — à s'isoler tout seul — pour conserver à notre pays une industrie dont le renom n'est plus à faire.

— Et où est-elle, sa ferme ?

— 45, rue de Douai.

— Quoi ! il a installé une ferme rue de Douai !... En plein Paris !

— Mais oui ! Dans un immeuble tout ce qu'il y a de bien. Au troisième.

— Evidemment ! C'est plus pratique pour les communications... mais c'est tout de même original ! »

Avec un taxi, il fallut à peine deux minutes —

nous n'en eûmes que pour 4 francs au compteur — afin de nous trouver devant le nouvel établissement de notre ami.

La première personne que nous rencontrâmes, c'est Feuillemolle lui-même.

« Ah ! je suis ravi de vous voir, nous dit-il.

— Et moi, répondis-je, je suis bien heureux de vous serrer entre mes bras !

— Mes chers amis, reprit Feuillemolle avec une pointe acérée de mélancolie dans la voix, mes chers amis ! En ai-je eu du mal ! Vous savez : trouver une ferme de trois pièces et une cuisine à Paris, ce n'est pas commode... Mais vous savez que je ne me laisse pas arrêter par la difficulté... D'ailleurs, venez voir. »

Et il nous entraîna vers l'escalier.

Tout en devisant, nous étions arrivés au troisième.

« Suis-je bête ! s'écria Feuillemolle, j'ai oublié l'ascenseur. Redescendons le prendre : ça nous fatiguera moins. »

Nous redescendons. Nous nous tassons dans la cabine qui, heureusement, étant en flanelle, est assez extensible. Et, naturellement, l'ascenseur refuse de bouger.

« Eh bien ! à la campagne comme à la campagne. Il y a une corde à nœuds de secours : nous allons nous en servir pour monter. »

Après des efforts inouïs, nous nous retrouvons tous les trois au troisième étage, les mains en sang et les vêtements déchirés.

Notre ami éclate de rire :

« Elle est bien bonne !... J'ai oublié que, depuis le dernier terme, ma ferme est transférée au rez-de-chaussée. »

Ereinté, meurtri, et mort plus qu'à moitié, il me faut avouer que c'est d'une oreille basse et assez distraite que j'écoutai les explications du fermier. Nous entraînant à travers ses champs, il nous montrait tout :

« Voici les couveuses. Car on élève les plastrons

en couveuse : c'est si fragile quand c'est petit, ça demande des soins de chaque instant... Ici, vous voyez les étables des plastrons adultes... Là, à votre droite, les écuries des reproducteurs... Voici le plastronnier pour la ponte des œufs... plus loin les glaneuses-compresseuses-empeseuses. »

Je crus devoir placer un mot poli :

« Vous êtes content, Feuillemolle ?

— Heu !... c'est difficile, vous savez... Je me suis lancé dans l'affaire à une bien mauvaise époque... Il y a beaucoup de déchet... Cette année, les plastrons sont décimés par la maladie.

— La maladie ?

— Oui... le tilouillas.

— Le tilouillas ?

— C'est la maladie du plastron... La vache a la fièvre aphteuse, le chien a la rage, le mouton le tournis... le plastron a le tilouillas... Ça commence par un ramollissement de la patte de devant. Petit à petit, le plastron s'afaisse, et, quand les pattes de côté sont prises à leur tour, il n'y a plus rien à faire : le pastron est perdu... Heureusement que la science moderne a trouvé le moyen de soigner ce fléau... Nous faisons prendre aux plastrons des bains d'amidon... Ça ne les guérit peut-être pas, mais ça les blanchit, et puis... »

... A partir de ce moment, je n'ai plus rien entendu. Fourbu, brisé, je m'étais allongé sur une chaise de plastrons et j'avais perdu connaissance.

Quant à Adhémar de la Cancoillotte, il était depuis longtemps atteint, le povre, du tilouillas, car j'entendais vaguement, dans ma demi-inconscience, un ronflement sonore qui sortait de son nez puissant, où les poils gris se confondaient avec les longs fils blancs de son imposante moustache à la gauloise.

G. K. W. Van den Paraboum.

ECHOS DES STUDIOS

On ne sait pas encore si le documentaire primé au Festival de Cannes sera sur le sucre ou sur la pêche.

SIMPLE CONSEIL

Pourquoi essayer de faire semblant d'avoir l'air de travailler ? C'est de la fatigue inutile !

OFFRES D'EMPLOI

● **Inventeur** produit amaigrisseur cherche grossiste.

● **Grosse usine de clous** cherche bons ouvriers bouderes pour faire la tête.

● **On demande** cheval sérieux connaissant bien Paris pour faire livraisons seul.

DEMANDES D'EMPLOI

● **Artiste de grand talent,** très altruiste, très effacé, prêterait son concours à gala moyennant petit défraiement. Accepterait même cachet sans paraître sur scène pour laisser place aux jeunes.

● **Employé de bureau,** bricoleur, boute-en-train, grande facilité d'élocution, grosse connaissance en récits de chasse, histoires graveleuses, cherche emploi dans administration ou ministère bien exposé au sud. Proximité station métro Goldwyn-Mayer si possible.

● **Monsieur désœuvré** aimerait bien démonter des pendules. Prix indifférent.

● **Président République,** ayant quelques dimanches libres, inaugurerait statues, écoles ou tous autres monuments. Déplacements et repas payés. Faire offres au général B. qui transmettra.

● **Caissier** aisé depuis peu cherche place de Directeur, instruction soignée, bonnes performances. Libéré dans deux jours.

● **Mosaïste** devenu myope demande place de paveur.

● **Par suite désaffection,** moulin à vent cherche place d'homme de quart pour veiller au grain. Marion, meunier au Moulin, par La Minoterie (Beauce).

PERDU. TROUVE

● **Donne récompense** à qui me rapportera un collier de 20 000 F. Aucune préférence pour les perles.

● **Perdu** hier une bonne occasion de me taire.

● **Trouvé** portefeuille contenant 2 450 F. Le rendrais avec les 450 F restant contre 50 F de récompense.

LES FLEURS VOUS DENONCENT

Ça ne peut tromper : même si vous êtes muet comme une langouste, les fleurs parlent pour vous.

Votre fleur préférée indique votre caractère, elle vous dénonce aux foules, même en pleine nuit, et sans gratter une allumette.

Dites-moi votre fleur, je vous dirai qui vous êtes.

Ce qu'il faut bien savoir, c'est que c'est aux fleurs que les âmes sensibles transmettent leurs pensées, car, comme les femmes, les fleurs ont une âme, ainsi que l'a chanté Joseph Balsamo, comte de Cagliostro, lorsqu'il fit ses débuts, en 1763, au Casino des îles de l'Archipel.

On dit que Napoléon Ier, lorsqu'il recevait un ambassadeur étranger, demandait toujours à ce dernier de porter sous son bras un pot de sa fleur préférée. L'Empereur interrogeait la fleur avant d'accorder la parole à l'Excellence, et si l'examen floral était défavorable il le renvoyait dans son pays, avec un message en télégraphe Chappe pour le Souverain.

Et maintenant, avec mon sarcloir à défricher les esprits, sarclons les plates-bandes du jardin de votre âme.

Voici quatre fleurs : la rose des vents, la camomille, la palette fumée, le petit radis de nos jardins de Touraine préparé par le chef à la mode de chez nous, en terrine, avec un petit filet de foie gras et de la bavette de girafe désossée.

LA ROSE DES VENTS.

Monsieur, vous ne pouvez pas aimer la rose des vents, c'est une fleur féminine.

Donc, Madame, sans être capitaine au long cours, je vois le chemin que votre rose des vents va vous tracer dans la vie. En aimant une telle fleur, je vous sens confiante et bien d'aplomb, car vous avez raison d'aimer les talons plats. Vous connaîtrez, entre le mardi 23 et le jeudi 27 de l'autre année, une période qui n'aura d'original que sa banalité, et, pour ce, vous ferez des envieux. Méfiez-vous surtout d'une femme brune qui vous sera néfaste, car elle ne vous veut pas de mal, et ça, c'est très grave. Le reste est très clair, à part un léger incident chez un boucher distrait à qui vous demandez du plat de côtes et qui vous donne à la place le *Mémorial de Sainte-Hélène*.

LA CAMOMILLE.

Votre prédilection pour la camomille indique, Monsieur, un tempérament fougueux qui peut vous mener loin, si vous évitez les douches. Vous êtes un très beau spécimen. On vous cite en exemple et vous pouvez être fier d'être un aussi joyeux vieillard.

LA PALETTE FUMEE.

C'est une fleur si néfaste, jeune homme, que je vous conseille au plus vite de vous en débarrasser, car vous savez mieux que moi ce qui vous pend au nez.

LE PETIT RADIS DE NOS... ETC.

Mademoiselle, le radis est le reflet de votre cœur dont, par admiration, il se pare de la même couleur.

Je vous conseille seulement d'enlever de votre vélo ce frein sur la jante qui fait un peu vieux jeu.

UN PEU DE PSYCHOLOGIE
TRIEZ VOS AMIS SUR LE VOLET...

La meilleure façon de reconnaître ses amis, c'est, nul ne l'ignore, de les trier sur le volet.

Faites-vous donc construire un volet assez large ayant la forme d'une personne mais en plus long et muni de traverses à bascule. Posez-le au centre de votre appartement et invitez ceux que vous croyez pouvoir choisir comme amis à prendre le thé ou d'autres boissons alcoolisées. Sans avoir l'air de rien, faites passer tout votre monde sur le volet et faites brusquement basculer vos traverses : il est bien étonnant s'il en reste un debout... Vous pourrez alors opérer une sélection suivant le degré d'injures que tous vos invités proféreront à votre adresse en se relevant, et, quand vous aurez choisi, vous pourrez dire que vous avez l'ami parfait toujours si difficile à se procurer.

126

À VENDRE

● **Tapis persans** poussant des cris du même nom dès qu'on marche dessus. Le mètre 1 595,70 F.

● **A vendre** tête de lares pour protéger foyer. Modèle ordinaire, 18 as. Modèle ininflammable, 30 deniers.

● **Casserole** à fond tournant pour faire tourner le lait. Indispensable pour faire du lait caillé, 7 F.

● **Lunettes** pour lire le journal à l'envers.

● **Doigts supplémentaires en caoutchouc,** permettant de compter au-delà de 10. La douz. : 30 F.

DEPLACEMENTS VILLEGIATURES

● **Si vous êtes trop occupés,** passez vos vacances chez vous. Méthode facile par correspondance.

DIVERS

● **Collectionneur** de collections achèterait bon prix collection de collections.

● **A vendre casseroles carrées** pour empêcher le lait de tourner. 10 F.

● **A céder,** pour cause deuil, maladie, revers de fortune et guigne, superbe grigri porte-bonheur et main de Fatma en bronze d'aluminium.

ECHANGES

● **Echangerais** quinze jours de vacances pris au mois de juillet contre quinze jours à prendre en septembre.

● **Echangerais** violon d'Ingres contre clarinette bon état.

● **Echangerais** tente canadienne bon état contre oncle d'Amérique, même usagé.

VOUS QUI AVEZ L'EPIDERME DELICAT

Rasez-vous sans savon, sans eau, sans crème, sans blaireau et surtout sans rasoir. Comment ?

Ça, nous n'en avons pas la moindre idée, mais nous sommes persuadés qu'on doit pouvoir y arriver avec un peu de sens pratique et d'imagination.

PLAIDOYER POUR LE MAINTIEN
DES TRADITIONS

Les traditions se perdent, les traditions s'en vont ! C'est avec une mélancolie teintée légèrement d'arnica que nous faisons cette regrettable mais évidente constatation.

Entendons-nous bien. Nous ne partageons d'aucune manière le point de vue nettement égoïste des grincheux séniles qui répètent à l'envi que de leur temps tout était beaucoup mieux et qui estiment que le cours de la vie doit s'arrêter le jour où leur existence se termine.

Notre temps vaut ce qu'il vaut ; il n'est ni meilleur ni pire que les temps passés ; il serait plutôt plus avantageux pour nous puisque c'est celui que nous vivons et malgré tout l'intérêt des périodes abolies, si nous les avions vécues, nous ne serions probablement plus là pour en bénéficier et les compensations que nous offrirait la postérité seraient évidemment toutes platoniques.

Cela dit, je me sens beaucoup plus à mon aise pour réclamer le maintien des traditions qui, à mon sens, sont indispensables à la vie spirituelle de notre pays.

Je ne prétends pas que toutes les traditions soient bonnes ; il en est de puériles, de ridicules, de calcaires, d'évasives, d'auto-intoxiquées qui sont nettement impropres à la consommation courante. Par contre, d'autres sont nécessaires et ne contribuent pas peu au maintien du respect humain et à l'élévation des sentiments métaboliquement fixatifs.

Ainsi, une tradition que nos contemporains ont complètement laissée tomber en désuétude est celle qui consistait à acheter une paire de snow-boots dépareillés le jeudi précédant le lundi du dimanche de Pâques et à la revendre le mercredi de la Chandeleur, à l'occasion des fêtes de la moisson, en hommage aux travailleurs du sous-sol et du troisième étage. C'était une charmante coutume qui faisait fureur en période d'équinoxe, à l'époque bénie ou les calfateurs de matelas régnaient en maîtres sur les régions fertiles de la Bessarabie franc-comtoise. Il serait utile qu'elle fût rénovée et qu'on lui rendît sa carte grise.

Bien d'autres traditions devraient être rétablies au même titre que la précédente, c'est-à-dire au titre de tradition, ne serait-ce que celle — délicieuse entre toutes — connue sous le nom de « Bidibingouzden ».

Cette tradition dont la pratique remonte à la lointaine époque des chemins de fer mécaniques donnait lieu à d'émouvantes fêtes de famille ; ça se passait généralement le 11 juillet, mais ça pouvait également avoir lieu le 23 mars.

Les gens se rendaient mutuellement visite, se congratulaient, se souhaitaient un tas de choses excellentes ou s'injuriaient suivant le cas, mais ne s'offraient jamais aucun cadeau ; c'est ce qui faisait ressortir l'originalité de cette tradition qui honorait particulièrement les porteurs de siphon et les amalgameurs de quenouilles.

Je suis persuadé que le rétablissement de cette coutume arriverait à son heure dans les mois en R et qu'elle resserrerait de la bonne manière les nœuds un peu lâches des chenets du foyer de la grande

129

coopérative nationale qui, comme nul n'en ignore, représente la majorité de ceux qui en font partie.

PIERRE DAC.

COMMENT DEBOUTEILLER UN BOUCHON

Pour débouteiller un bouchon, procédez comme pour déboucher une bouteille, mais en sens inverse.

Introduisez le tire-bouteille dans le centre du cul de bouteille ; maintenez solidement le bouchon entre le pouce, l'index, le genou et le thorax gauche, et tirez la bouteille de la main droite ou toute autre demeurée libre. Une fois le bouchon débouteillé, jetez la bouteille et mettez le bouchon à rafraîchir.

Pour bouteiller un bouchon, posez le bouchon bien à plat sur le sol ; mettez ensuite la bouteille dessus et frappez violemment sur cette dernière avec un instrument lourd et puissant ; recollez ensuite les débris avec de la colle à manger de la tarte.

LE CENTENAIRE
DE LA BROSSE A RELUIRE

Il y a exactement soixante-seize ans environ, c'est-à-dire le 12 avril 1879, que naquit, à Hupnuf, petit village limitrophe et jurassien, Alcibiade-Ladislas Reluire, précurseur et inventeur de la brosse qui porte son nom.

Le silence qui accompagne cet auguste anniversaire est un triste témoignage de l'ingratitude humaine ; qui, à l'heure présente, se souvient d'Alcibiade Reluire qui, en son temps, connut la fortune, la gloire et la considération de ses concitoyens ?

Fils cadet et unique d'un manutentionnaire en beurre fondu, Alcibiade Reluire montra dès sa plus tendre enfance de remarquables dispositions pour l'art musical. A dix ans, il composa un quatuor pour harmonium, bugle et hélicon, intitulé : « Planque ton nez, v'là l'garde », opus 281 et la suite. A douze ans, il obtint son premier prix de métronome, et à quinze ans son père, désireux de le pousser, le fit entrer, en qualité de quartier-maître, dans une fabrique de baquets où il put donner toute la mesure de son précoce talent. Engagé aux zouaves à dix-huit ans, il fut nommé général de brigade pour avoir sauvé des flammes un adjudant-chef au cours des inondations du Massif Central en 1900.

Rentré dans ses foyers, il se lança à corps perdu

dans l'étude du corned-beef et de la géométrie dans l'espace ; et c'est ainsi que de fil en aiguille et de planche à repasser en pile de pont il en arriva à la conviction formelle qu'il se devait d'inventer une brosse capable de rendre à l'humanité décadente l'éclat d'un lustre que les taches de bougie et la turpitude avaient terni depuis des siècles.

Pénétré de l'importance de sa mission, Alcibiade Reluire se mit courageusement au travail ; ses premiers essais furent désastreux ; sa brosse offrait l'aspect d'une meringue au foie gras ou d'un cover-coat de limonadier, suivant l'angle sous lequel on la considérait ; et puis, un beau jour, ses efforts furent couronnés de succès, et le 26 mars 1853, la Brosse, la brosse majuscule, sortit de ses mains pour partir à la conquête de l'univers. Il y a maintenant cent vingt-cinq ans de cela. Bien des choses se sont passées depuis, mais rien ne doit nous faire oublier cet homme illustre qui a doté la créature de l'élément indispensable à sa propre dignité.

Et ce sera la récompense de ma vie d'avoir été le premier à rappeler les vertus de ce grand citoyen et de les exalter en une époque où les choses n'ont de valeur que par rapport à celles qui n'en ont pas du tout.

PIERRE DAC.

CONNAIS-TOI TOI-MEME
AVEC L'ELECTROPILOMETRE

Le poil était déjà signe de précision. On dit depuis longtemps « au quart de poil » ou « à un poil près » ou encore « au micropoil ». Mais il y a poil et poil. C'est pourquoi vient d'être mis au point le pilomètre destiné à l'étalonnage de cette production épidermique filiforme et flexible se développant sur la peau des animaux et en divers endroits du corps humain. Cet appareil est même susceptible, si on lui adjoint un amplificateur, de mesurer le lanugo, c'est-à-dire le revêtement pileux délicat qui s'étend sur le corps entier, à l'exception des paumes des mains et des plantes des pieds, et que l'on nomme vulgairement « poil de duvet ». On ne saurait confondre ce lanugo et le poil follet qui vient avant la barbe, et c'est pourquoi le pilomètre est équipé d'un système gazonique d'iode.

L'appareil permet aussi de détecter le Pili Torti de Galewski (1932) et le trichotortosis de Ronchèse (1933), autrement dit la dysplaxie congénitale et presque toujours familiale des cheveux qui, dès leur apparition souvent tardive, ont une apparence laineuse, moirée, due à la torsion de chaque cheveu sur lui-même, trichotortosis qui disparaît d'ailleurs avec la puberté.

Mais l'intérêt le plus évident du pilomètre est de

133

mesurer le poil dans son dynamisme tant intrinsèque qu'extrinsèque, de mesurer par exemple le réflexe pilo-moteur connu sous le nom de chair de poule. Celui-ci consiste en un redressement des poils provoqué par l'excitation de certaines zones telles que la région cervicale ou la région axillaire par des excitants sensoriels, tels que des bruits désagréables (rebrousse-poil) ou par des états psycho-affectifs, tels que frayeurs et émotions diverses.

Le pilomètre permet donc d'estimer le degré soit de la révolte soit de la peur. Il permet de mesurer également l'audace si l'on songe qu'un brave à trois poils est un homme qui ne craint rien et que, selon le dictionnaire Larousse, un homme à poil est un homme énergique.

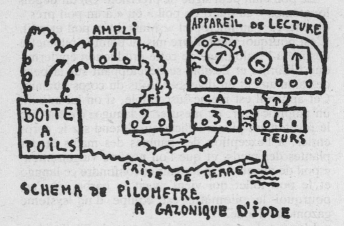

SCHEMA DE PILOMÈTRE
A GAZONIQUE D'IODE

Enfin, en inversant les circuits de l'appareil, il est possible de soumettre les poils à un champ tel qu'on puisse obtenir à volonté l'énergie, la révolte ou la peur ou même, simultanément, ces trois états en trois points différents du corps.

Outre l'intérêt qu'il présente pour la recherche purement spéculative, le pilomètre est appelé à rendre de grands services à tous ceux qui s'intéressent aux résultats qu'il permet d'obtenir et dont il est inutile de souligner le coefficient particulièrement significatif des avantages par rapport aux inconvénients.

Le pilomètre est évidemment étalonné sur un individu rasé à jeun, donnant, par définition, le point zéro du pilostat. Le point maximum n'est pas encore déterminé car il correspondrait à la régulation de l'abominable homme des neiges. Il se situerait pourtant un peu au-delà de 1 000. Le maximum atteint par l'horreur de Glouille, appareil de notre petite sœur, ne dépassait pas 875.

Le Pr Jules Lemetre
et son frère Leon.

MENAGERES !

Ne faites plus blanchir votre linge : faites-le noircir ; il ne se salira plus !

[...] et donnait contre ces
[...] roulaient tranquillement
[...] des avantages qui valaient aux clients [...]
[...]

Le pilotophile, en guettant, chantant sur un
individu de devant, donnait, par définition, le
pourmeno ou blabla. Le pour maintenant n'est pas
en que détachant, car il s'intenpourait à la contis-
sion, de l'abominable homme des neiges. Il se
chuchote pourtant un peu au-delà de 1900, se
maintint alerte par l'horreur de blabla, appelant
se pourra petite aérer, ne décessait pas XXX

Le Prince Lustu[...]

DE LA CHIROMANCIE

On consulte souvent sa montre et on ne consulte
jamais sa main. Voilà un bien grand tort, puisque
votre main peut vous dire bien des choses, tandis
que votre montre vous dit tout juste l'heure, et
souvent inexacte.

La chiromancie n'est pas une vague récréation
divinatoire ; non, c'est une science profonde creusée
déjà par les Egyptiens sur les bords du Nil.

Je tiens à vous en faire connaître ses merveilles et
ses mystères, et, ajoutant ma plume à ma pensée, je
fronce les sourcils et, de ce pas, vous donne ma
première leçon.

Confier sans arrière-pensée sa main au professeur.
Faire bien attention que la main soit également sans
gerçure. Pour ce, en revenant du théâtre et avant de
vous coucher, prenez une légère collation et trem-
pez-vous les mains dans l'eau tiède puis dans un bain
de benjoin, de glycérine et de jasmin ; essuyez-les
avec une toile émeri à mains, et non pas avec une
toile émeri à figure.

Voici un très bel exemple de main. C'est celle
d'une jeune fille qui a passé quarante ans aux
colonies à apprendre la révérence parlée aux indi-
gènes. Regardez comme les lignes A, B, C, D, E, se
rejoignent : cette conjonction indique toujours la
forêt vierge. Si vous la possédez sur votre main,

soyez prêt à partir et prenez un paquet de pansement, car les moustiques sont très mauvais là-bas. La ligne de vie est ici (L) très claire, bien pleine, franche, lumineuse, saine, bien portante, on dirait duvo (Duvo : déesse de la vie chez les Chaldéens) ; elle indique ici un changement de situation pour une personne complètement inconnue. La petite ligne entre la ligne H et la ligne B, c'est une nouvelle ligne qui ne fonctionne plus après 9 heures. Le croisement des lignes J et R vous occasionnera sûrement de violentes douleurs de pied le jour où votre seconde fille aura appris à diminuer le talon pour vous tricoter des chaussettes. Chose curieuse, si vous avez ce croisement, consultez votre plante des pieds, et si elle porte les mêmes signes vous aurez également de violentes douleurs de mains. Car le pied se venge souvent de la main. Les lignes diagonales indiquent (s, t, u, v, w), ici, le penchant du sujet pour les friandises à base de pistache (nougat, crème, hure, etc.) et aussi un goût certain mais plus modéré pour la soutache. Par contre, une grande aversion pour la moustache. C'est une main douce de sentiment et rude de forme : goût pour les gilets jaunes, les bougeoirs en porcelaine, les grille-pain en cristal, l'étude des champignons, la danse antique, et aussi le bœuf en daube. C'est donc une main éclectique.

Si les lignes Y et Z étaient dans le sens contraire, le sujet aurait des démangeaisons entre les deux yeux et entre la quarantaine et la cinquantaine.

En somme, merveilleux exemple de main indiquant la quiétude, la santé, la liberté, l'égalité et même (chose très rare) la fraternité.

ATTENTION AUX FAUX BILLETS

Des faux billets de dix francs sont actuellement en circulation. La contrefaçon est presque parfaite, mais, heureusement, quelques légers détails les signalent à l'attention d'un œil exercé.

Voici quelques-unes des particularités révélatrices :

1° Les faux billets ont un format sensiblement double de celui des vrais.

2° Il y a un zéro de trop au chiffre dix, et le mot finances est écrit avec deux T au lieu d'un.

3° Les allégories représentant Minerve et Mercure sur les vraies coupures sont remplacées sur les fausses par une scène de la vie des champs décrivant les difficultés qu'éprouve un plombier-zingueur malgache pour se confectionner un sandwich à la gabardine.

Pour finir, et pour ceux dont l'œil n'aurait pas toute l'acuité nécessaire à la perception d'aussi infimes détails, ajoutons qu'il suffit de faire brûler les billets douteux pour être fixé sur leur authenticité.

En effet, le tirage a été exécuté sur papier d'arménie dentelé.

JEUNES FEMMES qui voulez briller en société, passez-vous le visage à l'encaustique.

DE LA MANIERE DE SE COMPORTER LORSQU'ON EST INVITE A RAMONER UNE CHEMINEE

Accusé de réception : Lorsque vous recevez le carton vous priant au ramonage de cheminée, vous devez immédiatement envoyer votre acceptation, des excuses si vous ne pouvez vous y rendre, ou des injures grossières, suivant le cas, ces dernières ne devant en aucun cas être téléphonées, ce qui serait de la dernière incorrection, mais manuscrites.

Tenue : La tenue, pour une soirée de ramonage, est strictement la suivante : pantalon blanc à revers élimés et genoux souillés, chemise plastron en reps mi-souple, manches gigot et poignets entrecôte, cravate fusain dessinée à même la pomme d'Adam, redingote flanelle rayée, quadrillée au pochoir, col roulé, revers fil-à-fil moiré ; espadrilles vernies talons rentrants, chaussettes cachou avec baguette en jonc brodée.

Présentation : Enfoncer la porte de l'amphitryon à coups de pied, à l'exclusion absolue des épaules ; une fois entré, prononcer en zézayant légèrement la phrase sacramentelle : « Bonjour les hommes et pardon si je me trompe. »

Ramonage : Pour le ramonage proprement ou salement dit, se conformer aux instructions des maîtres de maison, la règle n'étant pas immuable et variant suivant le cas.

Prise de congé : Là, le protocole est immuable ; la maîtresse de maison passe devant vous et vous dit : « Je vous précède. » Vous devez, sous peine de passer pour un malappris, répondre : « Je vous suis... de cheminée. »

USAGERS DE LA S.N.C.F.

Ne vous fatiguez plus ! Ne vous encombrez plus !
Faites enregistrer vos bagages sur bande magnétique, sur disque 45 tours ou, selon les impératifs de votre voyage, sur disque 33 aller-et-retour.
Ils vous seront ainsi, et sans aucun supplément, restitués intégralement à l'arrivée sur simple déclic.

L'HEURE DE LA SEMAINE

Lundi, à 15 heures et au quatrième clop de midi moins le quart, il sera exactement : mercredi 18 heures 35. Pour les autres heures, veuillez vous reporter à votre montre habituelle.

COMMENT ECRIRE EN RESPECTANT
LES LOIS DE LA COURTOISIE
ET DU BON TON

Nous avons pensé qu'il serait agréable à nos lecteurs de posséder quelques modèles de lettres usuelles. Voici un premier exemple :

MODELE DE LETTRE A ADRESSER
A VOTRE MARCHAND DE CHARBON
POUR LUI PASSER COMMANDE

Cher Monsieur (ou Madame si c'est une femme),

Les frimas n'étant pas encore parvenus au terme de leur course frigide, et connaissant de réputation et par expérience personnelle votre haute compétence en matière de combustible, serait-il trop indiscret et exagérément audacieux de vous prier de vouloir me faire parvenir à votre convenance et dans les délais que je laisse à votre sagace appréciation quelques centaines de kilogrammes de ce dont vous jugerez bon de vous dessaisir à mon profit en vue de maintenir en mon modeste home le coefficient calorique nécessaire à mes principes vitaux ?

Espérant que la présente trouvera auprès de vous

la faveur d'un accueil bienveillant, et en l'attente impatiente de l'honneur de votre proche visite, croyez, cher Monsieur (ou Madame si c'est autre chose qu'un homme) à l'assurance de ma haute considération et de mes sentiments respectueux.

(Signature.)

MODELE DE LETTRE A ADRESSER
A M. LE PRÉFET DE POLICE
POUR SOLLICITER UNE PLACE
DE PRESIDENT DE LA REPUBLIQUE

Monsieur le Préfet,

Ayant appris d'une manière fortuite, quoique fort honorable, qu'il y aurait peut-être prochainement une place vacante à la Présidence de la République, j'ai l'honneur, par la présente, de solliciter de votre haute bienveillance l'octroi de cette place que je me sens capable de remplir à votre entière satisfaction et au mieux des intérêts de votre maison.

Je tiens à votre disposition un « curriculum vitae » détaillé, ainsi que les certificats des maisons qui m'ont employé, d'où je suis parti de mon plein gré et libre de tout engagement.

Je vous signale, à toutes fins utiles, que je possède un habit, une jaquette, un complet croisé et que je porte avec une certaine désinvolture le chapeau claque, le bicorne et la chéchia.

Je vous serais fort obligé de bien vouloir me fixer un prochain rendez-vous afin que nous puissions débattre des conditions.

En l'attente d'une prompte réponse, je vous prie d'agréer, Monsieur le Préfet, ainsi que votre dame, l'assurance de ma parfaite considération sans préjudice de mes salutations distinguées et de mes civilités empressées.

(Signature et adresse.)

MODELE DE LETTRE ANONYME

Monsieur,
(ou) Madame,
(ou) Pauvre imbécile,

Tu ne vois donc pas qu'on se paie honteusement ta tête ; pendant que tu es occupé à te tuer à la besogne, on profite de ton absence pour te bafouer, alors qu'on te prodigue des marques d'affection que tu prends pour de l'argent comptant ; tu es la risée du quartier. Rentre donc un jour chez toi deux heures plus tôt que d'habitude et tu seras édifié ; tâche de regarder autour de toi et tu verras ; compare la photo de tes enfants avec celle de M. Machin, peut-être que la ressemblance te fera comprendre bien des choses.

A bon entendeur, salut ; signé : quelqu'un qui aime la paix et la famille.

MODELE DE LETTRE A ADRESSER
A UN PORTEUR DE BAGAGES STAGIAIRE
POUR LE CONSOLER DE N'AVOIR PAS
OBTENU LE PRIX GONCOURT

Cher Monsieur,

Je ne sais plus lequel, de Platon ou de Jack Dempsey, a dit : « Les conséquences d'un échec n'ont de valeur réelle que par leur rapport avec l'espoir qu'on avait bâti dessus. »

Cette noble pensée doit amplement suffire à vous consoler d'avoir été éliminé d'un palmarès, enviable certes, mais qui n'est au fond qu'une manifestation de la vanité humaine.

Dans la carrière que vous avez délibérément

choisie et à laquelle vous prédestinait tout un passé spirituel, vous trouverez matière à renforcer votre énergie et à augmenter encore le poids de votre bagage, ne serait-ce que par celui que vos clients vous donnent à porter.

Vous n'avez pas le prix Goncourt, soit ; mais n'avez-vous point, en échange, le prix de vos efforts payé par la considération dont vous jouissez auprès de vos pairs et par l'estime générale qui vous entoure comme un grillage entoure un square.

Et croyez, cher Monsieur, à toute l'estime que j'éprouve à l'égard de vos possibilités méconnues, mais qu'une juste récompense viendra tôt ou tard couronner comme il se doit.

(Signature.)

MODELE DE LETTRE A ECRIRE
POUR NE RIEN DIRE

Monsieur (ou) Madame,

Je me fais un devoir de vous écrire ces quelques mots qui, je l'espère, vous trouveront de même. Je souhaite que votre état de santé corresponde au désir que vous devez certainement avoir de le voir se maintenir de façon satisfaisante, et puis vous informer que, de mon côté, c'est identique.

La situation est inchangée depuis les changements dont je n'ai pas cru devoir vous informer, étant donné que ça n'aurait pas changé grand-chose à l'état de nos relations qui, j'en ai la ferme conviction, continueront à rester aussi communicatives que par le passé.

J'espère également que votre rhume des foins n'aura été qu'un feu de paille et que vos enfants sont plus que jamais dans la tradition familiale qui est de mise en vigueur depuis qu'elle existe.

Rien d'autre de bien intéressant à vous communiquer pour l'instant.

Dans l'espoir de vos nouvelles, je vous prie de me croire votre toujours dévoué.

(Signature.)

P.-S. — Je n'ai rien d'autre à ajouter à ce qui précède.

Modele de lettre a envoyer pour s'excuser de ne pas ecrire

Monsieur (ou Madame),
ou « Monsieur et Madame »,
ou « Chère vieille gamelle de chose »,

Je viens, par la présente, m'excuser très sincèrement de l'impossibilité dans laquelle je me trouve présentement de vous écrire le moindre mot ; chaque jour je remets à plus tard le soin de vous envoyer de mes nouvelles et m'inquiéter des vôtres : je n'y parviens pas ; les affaires, les ennuis, les rendez-vous, etc., bref, je ne peux trouver une minute de tranquillité pour remplir à votre intention la valeur même d'une demi-page.

J'espère que vous ne m'en tiendrez pas rigueur. De votre côté, s'il ne vous est pas possible de m'écrire, veuillez avoir l'obligeance de me le faire savoir au plus tôt et par lettre.

Encore une fois, toutes mes excuses pour mon silence, et croyez à tout ce que vous voudrez croire.

(Signature.)

Post-scriptum. — Il n'y en a pas.

CONSEIL AUX BRICOLEURS

Une petite fuite d'eau ou de gaz est toujours difficile à repérer. N'hésitez donc pas : agrandissez sans plus attendre le trou à boucher, vous le trouverez plus facilement.

ESSAI SUR LA LIBERTE

Errare humanum est, est-il écrit à la page de garde du manuel de la graineterie comparée. A quoi je me permettrai d'ajouter de mon propre chef : « Errare humanum ouest », estimant qu'il n'y a aucune raison de favoriser un point cardinal plutôt qu'un autre.

Si je place cette citation en tête du présent essai, c'est qu'il fait ressortir de manière fulgurante l'état de non-sens évident dans lequel se trouvent placés nos soi-disant éléments de liberté individuelle dont la relativité ne peut laisser subsister le moindre doute dans l'esprit de tous ceux qui savent que l'objectivité des choses ne prend sa valeur propre qu'en raison de l'altération des phénomènes constitutifs qui trouvent leur aboutissement dans l'origine même du concept platonicien.

En principe, nous jouissons, en France, d'une liberté absolue ; c'est écrit sur tous les bas-reliefs qui ornent le frontispice des édifices publics : c'est donc définitif et immobilier, et cette inscription gravée dans la pierre et le linoléum officiels suffit pour donner aux citoyens jaloux de leurs prérogatives civiques l'impression réconfortante qu'ils sont les seuls maîtres de leur destin, comme il est chanté au sixième acte de *Marion Delorme,* le célèbre opéra d'Henri Bernstein.

L'esprit critique aurait-il déserté les rives de nos

chemins vicinaux ? Je ne suis pas éloigné de le croire ; car, en somme, qu'est-ce que la liberté considérée sur le plan social ? C'est le droit de faire ce qu'on veut sans que ça gêne le voisin. Or, au nom de cette même liberté, les lois nous interdisent de faire une quantité de choses sous le fallacieux prétexte qu'elles sont susceptibles de gêner les autres. Et sur quoi se base-t-on pour produire pareille affirmation ? Sur des probabilités rigoureusement gratuites. Et je le prouve.

Si, demain, usant de mon droit de liberté, je me rends au Palais de l'Elysée et que j'aborde le chef de l'Etat en lui disant : « Bonjour, mademoiselle », j'encourrai immédiatement la rigueur du législateur. Et pourquoi ? En quoi le fait de l'appeler mademoiselle peut-il gêner notre Président de la République ?

De même si, dans un restaurant, je commande au maître d'hôtel dix litres d'essence en carafe et un siphon de sauce béchamel, la police viendra sans coup férir me mettre dans l'impossibilité de contenter cet innocent désir dont la réalisation ne pouvait en rien gêner mes plus proches voisins.

Je pourrais, à l'infini, multiplier ces exemples de mesures vexatoires et de brimades ; je préfère en rester là, mais, pour l'amour du cold-cream, qu'on ne nous rebatte plus les oreilles à tout bout de champ avec ce mot de « liberté » qui, en définitive, n'est profond que dans le sens de creux.

Pierre Dac.

COMMENT ASSECHER UNE MER

Voici un très joli petit travail masculin qui ne prend pas de place et qu'on peut très bien emmener avec soi si l'on part pour le bord de mer. D'autant plus qu'à la mer il pleut souvent, et le petit ouvrage que je vous propose sera indispensable si la pluie vous oblige à rester enfermé dans votre villa de location.

Voici comment vous devez procéder :

1° Vous choisissez une mer très profonde où il y a beaucoup d'eau.

2° Vous devez attendre la marée haute, car à marée basse vous n'auriez qu'une petite quantité d'eau, et sablonneuse, en plus !

3° Pour l'assèchement proprement dit, il y a trois méthodes : boire la mer par grandes gorgées en évitant qu'elle rentre dans les narines ; enlever l'eau avec une louche ; tapisser le fond de la mer avec du buvard et aspirer avec une paille. Chacune de ces méthodes est pratique, mais si l'on boit trop d'eau, ça donne soif et ça finit par coûter pas mal d'argent.

4° Quand tout est terminé, vous repartez, car vous n'avez plus aucune raison de rester à la mer puisqu'il n'y en a plus.

Grand-Oncle Petrus.

GRACE A LA NIVEAUSTHESIE NOUS FAISONS UNE DECOUVERTE SENSATIONNELLE SOUS LE THEATRE DE L'OPERA

Le mystérieux personnage qui m'avait donné rendez-vous ce jour-là dans les salons de *L'Os à moelle* offrait un aspect assez déconcertant. Très digne, le menton orné d'une fort jolie barbe longitudinale, il ne paraisssait pas, à première vue, jouir de toutes ses facultés mentales. A seconde vue, il y avait cependant une légère modification du jugement, du fait, bien anodin d'ailleurs, qu'il portait en guise de couvre-chef une omelette à la confiture, fixée sur le crâne par des morceaux de papier collant. En outre, il tenait dans sa main droite un alpenstock à l'extrémité duquel était attaché un réveille-matin.

« Bonjour, monsieur Van den Paraboum, me dit-il, je suis niveausthésiste.

— Enchanté, monsieur ; quoique étranger, soyez le bienvenu parmi nous. »

Il sourit :

« Je crois, monsieur, qu'il y a un horrible malentendu ; je suis niveausthésiste, c'est-à-dire que je pratique la niveausthésie, science qui est la cousine germaine de la radiesthésie.

— Ah ! oui, oui... parfaitement...

— J'ai soumis mes travaux à M. Léopold Lavo-laille, qui m'a dit que je trouverais à *L'Os à moelle* le meilleur accueil et de multiples encouragements...

— Il ne vous a pas menti, monsieur... En quoi consiste la niveausthésie ?

— C'est la recherche scientifique des passages à niveau par le pendule.

— Mais vous croyez qu'on ne peut pas trouver les passages à niveau autrement ?

— Vous ne pouvez pas savoir le nombre de passages à niveau cachés qu'il reste à découvrir... et, ici même, à Paris, je suis persuadé qu'il y a dans les profondeurs du sol une bonne douzaine de passages à niveau dont je me fais fort de révéler la présence.

— Et comment faites-vous ?

— Je me promène avec mon alpenstock et, quand j'arrive à proximité d'un passage à niveau, le réveil sonne.

— Ah ! vous avez remplacé le pendule par le réveil...

— Oui... c'est plus précis...

— Eh bien ! monsieur, je ne demande pas mieux que de vous aider dans vos travaux, mais je voudrais bien une preuve tangible de ce que vous avancez.

— Qu'à cela ne tienne. Avez-vous un plan de Paris ?

— Certainement, en voici un. »

J'étalai le plan sur la table et mon interlocuteur y promena aussitôt son réveil :

« Sorbonne, rien... Gare du Nord, gare de l'Est, rien. Ah ! Ah !... non, là où on est passé, c'est le théâtre de l'Odéon... Ah ! Ah ! »

Le réveil se mit à sonner.

« Il y a un passage à niveau sous le théâtre national de l'Opéra ! s'exclama-t-il. Si vous voulez me suivre, monsieur, je vais vous prouver que ma science n'a rien à voir avec le charlatanisme... »

Quelques instants plus tard, à la suite du niveau-sthésiste, je pénétrais dans le temple de la musique et de la danse. Nous tombâmes dans l'escalier, d'une part, et d'autre part en pleine répétition sur la scène faiblement éclairée où une dizaine de messieurs s'exerçaient à exécuter un chœur qui aura bien du mal à en réchapper.

« Alors, monsieur, que dit votre réveil ?

— Pour l'instant, il est assoupi... je crois qu'il faudrait que nous descendions le plus bas possible... »

Justement, voici un régisseur, nous allons lui demander le chemin :

« Pardon, monsieur, le sous-sol s'il vous plaît ?

— C'est en bas...

— Merci, monsieur. »

Nantis de ce précieux renseignement, nous descendons dans les dessous du théâtre, où nous arrivons bientôt. Impossible d'aller plus bas.

« Il faut descendre, toujours descendre, déclare cependant le savant.

— Eh bien ! alors, on va creuser... »

Et, courageusement, mon compagnon et moi, nous attaquons le sol à grands coups de pioche...

Deux heures plus tard, le trou atteignait déjà cent deux mètres de profondeur. C'est vous dire si nous avions de bonnes pioches !

« Mais, fis-je, il y a de l'eau au fond du trou ?

— Eh oui, répliqua le savant, même que c'est une rivière.

— Quelle rivière ?

— La Meurthe-et-Moselle, parbleu !

— C'est juste, j'avais complètement oublié que cette rivière souterraine passait sous l'Opéra... Mais où en êtes-vous avec votre passage à niveau ?

— Il est en dessous.

— Alors, on ne peut pas y aller, il y a de l'eau.

— Oui, monsieur, mais sous l'eau, c'est sec.

— Evidemment, il n'y a qu'à franchir la rivière en profondeur. »

Quelques secondes plus tard, nous avions les pieds au sec, l'eau au-dessus de nos têtes et nous étions sur une espèce de plage, au sol recouvert d'un linoléum comme dans les mers du Sud.

Le niveausthésiste approcha son appareil.

« La minute est palpitante », fis-je.

Le réveil se mit à sonner éperdument.

« Courage ! hurla le savant, encore un coup de pioche et nous y sommes ! »

En effet, quinze secondes et demie ne s'étaient pas écoulées que nous découvrions, grâce à la science niveausthésiste, un magnifique passage à niveau de l'époque gallo-romaine !

Le niveausthésiste et moi, nous demeurâmes saisis de respect devant l'ampleur de notre propre découverte... Bouleversé d'émotion, je ne pouvais m'empêcher d'évoquer les légions qui, par le truchement de ce passage à niveau, avaient pu se rendre d'un continent à l'autre sans se mouiller les cheveux.

Ce passage à niveau, à vrai dire, n'a aucun rapport avec ceux que nous franchissons sur nos routes modernes. Il rappellerait plutôt le passage Brady ou celui de la Bérézina, mais en plus petit.

Pour tout dire, c'est un mur de pierre de taille sur lequel on peut lire en latin : *Prohibitus affichorum,* ce qui signifie : « Défense d'afficher », et en dessous : « Pour les combats de vestiaires et rétiaires, s'adresser à la dame du bestiaire. »

Je ne veux pas épiloguer sur l'importance historique de notre découverte, mais je dirai seulement que nous avons fait don de ce magnifique passage à niveau à M. Neville Chamberlain qui l'a emporté à Londres la semaine dernière, en le cachant dans son parapluie, pour éviter les frais de douane.

G. K. W. Van den Paraboum.

PECHEURS

Quand vous êtes en voyage, envoyez des carpes postales à vos amis. Ça leur fera plaisir et ça honorera le noble sport que vous pratiquez.

SIMPLE AVIS

Si vous êtes atteints de daltonisme, méfiez-vous des homards et des écrevisses.

Ils peuvent être vivants (et verts), alors que vous les croirez cuits (et rouges).

TENONS-NOUS PRETS !

Ce n'est pas à la légère que j'écris : Tenons-nous prêts... Ce cri d'alarme, je ne le jette qu'après avoir pesé le pour et le contre, et le contre autant que le pour, après un examen approfondi de la situation et avec la pleine conscience de la lourde responsabilité que je prends, guidé simplement par le désir de tirer les roues du vélo du char de l'Etat de l'ornière dans laquelle elles dérapent depuis le temps qu'elles y glissent.

Il ne s'agit pas, évidemment, de nous tenir prêts ostensiblement et avec forfanterie ; non, nous devons nous tenir prêts dignement, sans colère, l'estomac au port d'arme et le foie en bandoulière ; celui-là qui, par exemple, sous le fallacieux prétexte qu'il porte une omelette aux champignons dépassant de son gousset, s'estimerait fin prêt, commettrait une erreur magistrale dont il supporterait inévitablement les tristes conséquences.

Tenons-nous prêts ! Vous rendez-vous compte de ce que ça représente, de ce que ça signifie ? J'ai longuement hésité avant de lancer cet appel sur le marché de la prudence et de la précaution. J'avais d'abord pensé qu'en criant simplement : « Tenons », ça suffirait pour alerter les oreilles de ceux qui ne dorment que d'un pied ; je me rendis rapidement compte que c'était insuffisant et n'hési-

tai pas à ajouter « nous » à ce « tenons » : ça faisait
« tenons-nous » et, déjà, on sentait qu'il n'en faudrait plus beaucoup pour que ça signifie ce que je
voulais dire. Ce n'est qu'en relisant le récit émouvant de l'entrée solennelle des teinturiers à Hel-
singfors et de la remise des clefs anglaises de la ville
au chef manutentionnaire des Barbares que je me
rendis compte de l'utilité incontestable du mot
« prêts » pour compléter la phrase qui devait être le
drapeau du signal dont il est question dans la
nomenclature qui précède celle qui suit.

« Minute ! ne vont pas manquer d'objecter les
coupeurs de fil d'eau en huit, nous voulons bien nous
tenir prêts, mais prêts à quoi ? »

Je pourrais ne pas répondre à pareille question,
mais j'irai jusqu'au bout de mon devoir.

Comment ! Prêts à quoi ! Mais prêts, tout simplement... Prêts à toutes les choses qui font qu'on a
besoin de se tenir prêts sans qu'il soit besoin de
démêler le pourquoi du quant-à-soi avec l'intime et
absolue conviction que c'est là le point de départ du
but de toute l'affaire.

Donc, je le répète, tenons-nous prêts, de manière
que nos talons solidement posés sur le plancher de
nos principes nous donnent la force morale d'élever
nos cœurs à la hauteur des coudes, en un geste
d'altruisme bénévole, afin que nous puissions bientôt recueillir le fruit de nos efforts, dans une
atmosphère libre, sédative et, à juste titre, double-
ment ignifugée ; car, croyez-moi, c'est encore en
regardant fixement derrière soi qu'on court le moins
de risques de recevoir dans le nez ce qui est destiné à
la colonne vertébrale.

PIERRE DAC.

156

LA SCIENCE EN MARCHE

Le professeur Théodore Gouldebaum, l'éminent phila-filologue, titulaire, en Sorbonne, de la chaire d'entrecôtologie comparée, vient, au cours d'une remarquable communication de bouche à oreille, d'établir la différence de formule chimique existant entre le caramel dur et le caramel mou dont, jusqu'à ce jour, l'identité était, faute de mieux, admise sur la base équivoque d'un vasif postulant. Voici les conclusions du professeur Gouldebaum :

Formule du caramel dur :
$$FM2 - CH + 3P + 6E + 4X2 \ (6C)$$
Formule du caramel mou :
$$CH3 - N - L2 + 2NF - NO2H \ (4B)$$

Cette mise au point met enfin en lumière l'alternance des épiphénomènes physio-psychopathiques masticatoires dont le mécanisme n'a été que trop longtemps tenu dans une regrettable obscurité.

D'autre part, le professeur Théodore Gouldebaum poursuit inlassablement ses travaux en vue de l'établissement de la formule du caramel demi-souple et de celle, plus compliquée, du caramel demi-dur.

VOICI SIX « SI »

Si votre savon est sale, lavez-le à grande eau, s'il fond, recommencez l'opération avec un autre savon jusqu'à ce que vous ayez trouvé l'idéal des savons.

Si vous avez envie de prendre des bains de soleil, apprenez à nager. Un malheur est si vite arrivé.

Si vous ne vous portez pas bien, changez de méthode, faites-vous porter. Vous vous sentirez beaucoup plus léger, et vous pourrez à loisir insulter celui qui vous porte s'il vous porte mal.

Si votre pelouse n'est pas d'un vert assez vif, faites-la bouillir avec une cuillérée de bicarbonate de soude, elle reprendra un joli ton.

Si vos fleurs sont fanées, teignez-les en bleu marine et en noir, elles sembleront neuves.

Si le problème domestique est de plus en plus difficile à résoudre, il faut simplifier la question. Soyons moins exigeant, contentons-nous de domestiques moins stylés. Si notre bureau de placement ne peut pas nous fournir des « bonnes à tout faire », demandons-lui simplement de nous envoyer une « gentille-à-tout-faire », ou une « bonne-à-faire ce qu'il-lui-plaît », je suis sûr que vous lui simplifierez le travail et qu'il vous enverra un joli choix dans lequel vous trouverez votre affaire.

MARIE-THERESE.

NETTOYEZ VOUS-MEME
VOS TAPIS CLOUES

Ingrédients :

Une petite brosse, une pelle moyenne, une pioche standard, une grosse brosse, une brouette, deux maçons, un plumeau, un gâcheur de plâtre, un électricien, un entrepreneur de bâtiment, un homme d'affaires, une échelle de paveur, une auge à mortier et une truelle de démonstrateur.

D'une manière générale, on nettoie toujours le dessus des tapis, jamais le dessous. Voici une recette spécialement étudiée pour combler cette regrettable lacune et qui supprime les travaux et frais de dépose, nettoyage et repose.

Exécution :

Vous descendez à l'étage au-dessous, vous frappez et vous dites poliment : « Je viens pour nettoyer mon tapis. » Sans vous occuper de la réponse, vous pénétrez dans l'appartement. À l'aide des ingrédients ci-dessus énumérés, vous commencez le nettoyage à sec en vous servant de la pioche. Une fois le plafond enlevé, vous le roulez dans un coin et vous vous attaquez au plancher que vous enlevez et rangez de la même manière. Il ne vous reste plus qu'à brosser le dessous de votre tapis et vous laissez ensuite aux spécialistes le soin de remettre les choses en état, à votre homme d'affaires celui d'arranger, le cas échéant, les choses avec le locataire.

GRANDEURS ET DECADENCE
DU SALSIFIS FRIT

Sic transit! Ainsi va la vie! A quoi tient la gloire?
A peu de chose et le philosophe a raison qui dit :
« Quand les cent bouches de la renommée se taisent,
ça fait plus de bruit que lorsqu'elles parlent! »
Fragilité des choses d'ici-bas! Enfin rien ne sert
d'épiloguer à perte de temps, mais il est cependant
difficile de demeurer insensible devant l'étrange
destinée du salsifis frit. J'entends d'ici, aussi bien
que si je n'y étais pas, de graves personnages
s'écrier : « Est-ce bien le moment de s'occuper de
pareilles billevesées? » Notre souci d'impartialité et
d'objectivité constitue à lui seul la meilleure réponse
aux insinuations malveillantes ; si, aujourd'hui, j'ai
cru bon de m'occuper du salsifis frit, c'est que je sais
les répercussions qu'il peut avoir sur notre économie
générale.

Gambetta lui-même, qui n'était certes pas homme
à jouer à la marelle au sein de l'Assemblée nationale, n'a-t-il pas écrit : « Quand le salsifis frit
décroît, le peuple s'effrite. »

Je viens de passer quelques nuits à relire attentive-
ment l'histoire du salsifis frit ; je conseille à tous mes
concitoyens d'en faire autant, car elle est particulièrement édifiante. Les faits sont là, probants, irréfu-
tables, et la conclusion qui s'en dégage est la

suivante : « Un gouvernement qui n'a pas de politique du salsifis frit n'a aucun espoir d'arriver à ses fins. »

Chez les Phéniciens, le salsifis frit était révéré au même titre que le bœuf Apis chez les antipodistes. Au Mexique, récemment encore, c'est lui qui remplaçait le gui porte-bonheur à l'époque des grandes marées de demi-saison, et bien rares sont ceux qui n'ont point conservé dans un repli de leur mémoire le souvenir de la charmante « Ballade du salsifis frit » de Paul Pons et Raoul le boucher ; les premières strophes chantent encore à mes oreilles ; je ne puis me retenir de les citer :

> *O salsifis !*
> *Salsifis frit*
> *Honneur à qui*
> *Même sale s'y fie*
> *Frit !*

Quelle tendresse, quelle poésie bucolique en ces quelques vers emplis d'une émotion contenue ! Hélas ! le salsifis frit ne jouit plus de la grande faveur du public ; les jeunes générations si elles ne l'ignorent pas encore complètement ont une fâcheuse propension à s'en désintéresser.

Aussi je pense que ce n'est qu'accomplir petitement mon devoir que d'attirer l'attention de nos gouvernants sur cette grave question pendant qu'il en est temps encore. Nous ne demandons pas, évidemment, la création d'un ministère du salsifis frit ; ce n'est certes pas le moment pour l'Etat de se mettre de nouveaux frais sur les reins ; mais, dans un pur esprit de désintéressement, animés seulement par l'amour du bien public, mes camarades et moi nous nous déclarons tous prêts à nous occuper bénévolement de l'institution d'un office du salsifis, moyennant simplement un honnête émargement budgétaire dont nous fixerons le taux d'un commun accord et suivant les circonstances.

Il nous faut une politique du salsifis frit ; les Etats totalitaires n'en ont pas : c'est ce qui causera leur perte ; profitons-en ; qu'on nous fasse confiance ; notre plan est à pied d'œuvre et nos responsabilités prêtes à être assumées ; nous n'attendons qu'un signe de « CES MESSIEURS » pour entrer en action. Qu'il ne tarde pas trop, sans quoi, dépassés par les événements, nous ne pourrons que déplorer les conséquences indépendantes de notre volonté, dont le résultat sera la faillite de l'esprit démocratique et l'asservissement latéral de la liberté dirigée.

PIERRE DAC.

UN PEU D'ONOMATOLOGIE

MÉLANIE

Etymologie : du latin *Melassus* (mélasse) et du russe *Nijni Novgorod*.

Le chinois donne à peu près la même signification, mais en y ajoutant du riz.

Les Mélanie délaissent facilement leur fourneau et leur mari pour la natation. Elles aiment pourtant le coin du feu, mais en plein air, en camping. Les Mélanie nées un mercredi entre midi et le dernier courrier auront tendance à avoir un regard perdu au loin, mais, comme en marchant elles laissent tomber leurs cils, elles retrouveront facilement leur regard, pourvu qu'elles aient de bonnes chaussures.

DOROTHÉE

Etymologie : du breton *Dorure sur bois* et de l'anglais : *th*.

D'après les onomatologues égyptiens, les Dorothée ont un caractère de chien et le cœur sur la main, un appétit de cheval et l'estomac dans les talons. L'ensemble compose un physique agréable et imprévu. Leur présence est bénéfique dans une réunion de Comice agricole, lors d'une excursion en Suisse normande ou d'une promenade dans les égouts. On peut capter leur fluide, mais il faut le leur demander gentiment.

ADOLPHE

Etymologie : du latin : *Adrien,* du grec : *Olpiche,* et du sanscrit : *phéno.*

Beaucoup d'Adolphe ont des varices et font trop de bruit en mangeant. Ils sont timides comme des jeunes filles et, s'ils sont artilleurs, ils écoutent le bruit du canon les lèvres entrouvertes et les joues toutes rosies d'un émoi si troublant. Aptitudes au plomb et au zinc : sur 100 Adolphe, il y en a 87 1/2 qui sont plombiers-zingueurs, à moins qu'ils ne soient acariâtres. Les Adolphe ont généralement de jolis pieds dont ils se servent pour les arts d'agrément, tels que le point de chaînette ou la destruction du phylloxéra.

ANASTASIE

Etymologie : du suisse : *ananas au kirch* et du turc : *asiatique.*

Un air serein et une voix d'oiseau. Très coléreuses, les Anastasie ont vite fait de vous donner un grand coup de lèchefrite. Mais elles rachètent ces violences par une connaissance parfaite de mille petits riens qui feront le charme de votre intérieur. Les Anastasie nées entre le 11 juillet et le 28 juin ont des yeux et des petits pieds très doux qui leur permettent de ne rien casser dans les vitrines. Car les Anastasie sont presque toutes étalagistes.

ALICE

Etymologie : du latin *Aline* et du grec : *Cécile.*

Si les Alice étaient moins influençables, elles ne le seraient pas autant, c'est à peu près la dominante de leur nature.

REMISE DE DECORATIONS

De Limoges. — Par fil-à-fil spécial.

Une émouvante et bien réconfortante cérémonie s'est déroulée dans la cour d'honneur d'une importante fabrique de la ville où, hier matin, il a été procédé à une grande et solennelle remise de décorations à certaines porcelaines citées à l'ordre de la vaisselle.

Ont été décorés : 225 assiettes creuses,
642 assiettes plates,
43 saucières,
9 plats à poissons,
9 soupières,
64 services à café.

et de nombreuses soucoupes et tasses à thé. Nos sincères félicitations aux heureux récipiendaires et à leurs familles.

LA METHODE DU DISCOURS

Un bon discours ne doit être basé sur rien, tout en donnant l'impression d'être basé sur tout. Voici un exemple de péroraison d'un discours susceptible d'être prononcé n'importe où, n'importe quand et par n'importe qui :

« Messieurs,

« Les circonstances qui nous réunissent aujourd'hui sont de celles dont la gravité ne peut échapper qu'à ceux dont la légèreté et l'incompréhension constituent un conglomérat d'ignorance que nous voulons croire indépendant de leurs justes sentiments.

« L'exemple glorieux de ceux qui nous ont précédés dans le passé doit être unanimement suivi par ceux qui continueront dans un proche et lumineux avenir un présent chargé de promesses que glaneront les générations futures délivrées à jamais des nuées obscures qu'auront en pure perte essayé de semer sous leurs pas les mauvais bergers que la constance et la foi du peuple en ses destinées rendront vaines et illusoires.

« C'est pourquoi, Messieurs, je lève mon verre en formant le vœu sincère et légitime de voir bientôt se lever le froment de la bonne graine sur les champs arrosés de la promesse formelle enfouie au plus profond de la terre nourricière, reflet intégral d'un idéal et d'une mystique dont la liberté et l'égalité sont les quatre points cardinaux en face d'une fraternité massive, indéfectible, imputrescible et légendaire. »

Vous pouvez prononcer ces paroles en n'importe quelle circonstance, en étant assuré d'un succès certain.

PIERRE DAC..

ENIGME ENIGMATIQUE

Il est tard. Madame a sommeil. Elle va se coucher et oublie d'éteindre son appareil de T.S.F. A côté du poste, dans un aquarium, nagent deux poissons. Le lendemain matin, Madame se lève. Le poste de radio fait son travail consciencieusement et, grâce à lui, on entend une chanson interprétée par Jean Sablon. Les poissons ont disparu de l'aquarium. Que s'est-il passé ?

SOLUTION

On sait que Jean Sablon a un filet de voix. Les poissons se sont laissé prendre à ce filet.

ROBERT ROCCA.

UNE VISITE A L'ECOLE DE DEDUCTION ET DE PREPARATION A LA DETECTIVITE

Il existe, en France, une école de déduction, où les gens qui veulent apprendre à déduire suivent des cours de déduction. Cette école, dirigée par M. Feuillemolle, est située dans les Landes, exactement à douze kilomètres de Bordeaux et à huit cents mètres de Mont-de-Marsan, c'est-à-dire pas très loin de Béziers, mais pas tout à côté de Bar-le-Duc.

Ne visite pas qui veut ce curieux établissement, mais *L'Os à moelle* ayant de puissantes ramifications dans tous les milieux, un guide sûr a bien voulu m'y conduire, et me voici en plein cœur du cerveau des Landes. Je suis émerveillé. Jamais les Landes n'ont été aussi Landes qu'en ce moment. On jurerait des Landes, pas de fausses Landes, de vraies Landes.

« Nous ne sommes pas loin de l'école de la déduction, me dit mon compagnon ; mais vous pensez bien que cette école ne s'offre pas comme ça à la vue des gens. Elle est entièrement camouflée et dissimulée afin que les facultés de déduction des élèves soient mises à l'épreuve même avant le début des cours. Enfin, nous allons demander notre chemin à un pin... »

Je sursaute :

« Quoi, à un pin ?

« — Oui, parce qu'on apprend aussi aux élèves à se camoufler, et ce gros pin que vous voyez à notre gauche n'est pas un vrai pin, mais un pin de fantaisie...

— Ah !

— Oui, c'est un homme déguisé... Enfin, je le connais très bien... c'est un nommé Jules...

— Ah ! oui, il est peint en pin...

— Oui, c'est un pin peint... Approchons-nous de lui... Bonjour, monsieur Alfred.

— Eh ! bonjour, vous m'avez reconnu ?

— Alors, comment ça va, monsieur Louis ?

— Eh ! ça ne va pas trop mal, mais je suis vexé tout de même... Comment diable avez-vous pu me repérer ?

— Peut-être ne vous aurais-je pas reconnu si vous n'aviez commis une légère imprudence en laissant votre bracelet-montre autour de la troisième branche à gauche...

— Ah ! c'est juste ! que voulez-vous ? On a beau être pin, on aime bien savoir l'heure...

— Bien sûr.

— Alors, dites, vous allez visiter l'école...

— Oui, nous faisons un reportage... Est-ce que le directeur est là ?

— M. Feuillemolle ? Oui, oui. Il vous attend.

— Comment, il nous attend ? Mais je ne l'ai pas prévenu de notre venue.

— C'est justement pour ça qu'il a déduit que vous alliez venir.

— Ah ! c'est formidable !

— Alors, vous vous rappelez où c'est, hein ! Tout droit devant vous et à gauche...

— Bon, du moment qu'il nous dit ça, j'en déduis immédiatement que c'est derrière nous et à droite... »

Nous partons dans la direction opposée à celle qui nous est indiquée et nous ne tardons pas à apercevoir M. Feuillemolle, le directeur de l'école, qui vient à notre rencontre. Il est habilement déguisé en assiette anglaise.

« Bonjour, messieurs, nous dit-il. Qu'est-ce qui me vaut l'honneur de votre visite ?

— Nous venons pour vous vendre des tapis-brosses et de la chicorée frisée. »

Fronçant légèrement les sourcils d'une chiquenaude imperceptible, il réplique :

« J'en déduis immédiatement que vous désirez faire un reportage sur les travaux de mon institution. »

Une telle perspicacité m'effare. C'est prodigieux et renversant.

Cinq minutes après, nous assistons à un cours d'enseignement déductif donné par le professeur Fraisaulard, qui pose à un élève, devant nous, la question suivante :

« Voyons, monsieur Lachtroc, à quoi reconnaissez-vous qu'une rue est adjacente ?

— A la chaussée, nettement perpendiculaire à l'angle formé par l'intersection du milieu du coin du passage clouté.

— Très bien. Vous arpentez cette rue adjacente, vous examinez le sol et ne trouvez rien. Qu'en déduisez-vous ?

— Que quelque chose a été perdu mais qu'un autre l'a ramassé avant moi.

— Bravo, 20 sur 10, vous pouvez vous rasseoir, monsieur Lachtroc. A vous, monsieur Pifremol ! »

Un second élève se lève et le professeur l'interroge :

« Au hasard d'une promenade, vous trouvez une paire de bretelles sur la barre d'appui d'un tonneau d'anchois. Qu'en déduisez-vous ?

— Ben, je... je... déduis que c'est un pauvre jeune homme qui a perdu son pantalon en jouant à saute-mouton avec un correcteur d'imprimerie en rupture de ban.

— Taisez-vous, monsieur, vous déduisez comme un coupe-cigare mal vissé... Il s'agit précisément d'un cas très rare où il n'y a rien à déduire. Quoi d'extraordinaire à ce qu'un monsieur mette ses bretelles sur la barre d'appui d'un tonneau d'anchois ? C'est tout naturel, et si vous connaissiez un tant soit peu votre histoire romaine, que vous ayez un minimum de psychologie et une goutte de présence d'esprit, vous sauriez qu'à l'époque de la moisson tout citoyen qui se respecte met, en signe de réjouissance, ses bretelles sur la barre d'appui d'un tonneau d'anchois.

— Excusez, je... je ne savais pas !

— Vous serez puni, élève Pifremol. Vous me ferez six heures de camouflage spécial en cor de chasse.

— Mon Dieu ! que je vais être courbaturé !

— Ça vous assouplira. A vous, monsieur Tartala... On vous montre un piano à queue et vous apercevez deux poils de chèvre sur le quatrième si bémol...

— J'en déduis que le beau-père du maître de maison était sergent-major au 8e Passementiers motorisés.

— Très bien, la déduction n'a pas de secret pour vous... Je puis vous prédire un fort bel avenir comme chef saucier dans la police démontée. »

M. Feuillemolle se tourne vers moi :

« Le cours est terminé, j'espère que vous êtes satisfait de votre visite, monsieur le reporter ? »

Et il ajoute sentencieusement en clignant de l'œil éperdument :

« Surtout, n'oubliez pas que Déduction et Induction sont les deux portemanteaux où la Science de la recherche accroche le couvre-chef de son savoir. »

G. K. W. VAN DEN PARABOUM.

UN DOCUMENT UNIQUE

Voici la reproduction exacte du *la* naturel inscrit dans la 126ᵉ mesure des « Danses Polovtsiennes » du *Prince Igor* de Borodine.

EXPLORATION CHEZ LES CHASSEURS DE PLATS DE COTES

Amazone équatoriale, mai 1938
(De notre envoyé spécial.)

Vingt jours de voyage à dos de chameaux. Vingt jours de désert, de privations, de mirages critiques, de souffrances, de péripéties, d'aventures...

Mon guide, ce matin, m'a dit enfin, en petit nègre et en bégayant :

« *Levius fit patienta Quidquid corrigere est nefas...* »

Ce que j'ai traduit, en consultant les feuilles roses du *Petit Larousse,* par :

« Nous arrivons... »

Me voici donc au cœur du pays de la secte des chasseurs de plats de côtes.

Ma caravane est arrêtée au centre d'une forêt profonde dont les arbres ont été coupés pour en faire une clairière. Mais voilà qu'apparaît au loin un groupe compact qui se dirige vers moi : ce sont des nègres, employés depuis des siècles par mes compatriotes Willemetz, Gustave Quinson, Marcel Pagnol, esclavagistes notoires.

Mon émotion est à son comble. Enfin, je rencontre les chasseurs de plats de côtes.

Ils sont bizarrement accoutrés, coiffés de snow-boots, ils portent le pantalon en bandoulière.

Mais laissons parler celui qui paraît être le chef de la tribu.

« Je suis bien content d'être le chef des chasseurs de plats de côtes, et d'ailleurs, si je n'étais pas content, ça n'y changerait rien, vu que c'est moi qui suis le successeur du chef précédent des chasseurs de plats de côtes, lequel était mon père.

— Ah ! parce qu'on est chef de père en fils ?

— Non, pas chef de père en fils : chef de tribu. Et d'ailleurs, la dynastie des chefs de chasseurs de plats de côtes remonte à une époque qui se perd dans la nuit des temps.

— Pouvez-vous me dire quel fut le fondateur de la secte ?

— Nos historiens ne sont pas très d'accord à ce sujet. Certains prétendent que ce serait Zozime le Panopolitain, d'autres que ce serait M. Jules Grévy. Tout ce que je peux vous dire, c'est que c'est quelqu'un. »

Je suce, selon les rites et dans le sens de la longueur, le calumet de la Paix chez soi que me tend mon noir interlocuteur.

« Quel est le but des chasseurs de plats de côtes ? lui demandai-je aussitôt.

— L'extermination totale du plat de côtes.

— Mais pourquoi ?

— Noble étranger, vous allez le savoir. »

Se tournant vers ses hommes, il cria :

« Voulez-vous m'envoyer le grand prêtre ? »

Dans la foule, quelqu'un lui répondit :

« Il est chez le dentiste pour l'instant.

— Faites-le venir toute extraction cessante. »

Soudain, d'un seul bond, tomba entre nous un géant vêtu de plumes sergent-major.

« Maître, me voici.

— Que faisiez-vous encore chez le dentiste ? interrogea le chef.

— On jouait au bridge.

— Nous réglerons cela plus tard. Pour l'instant, veuillez lire au noble étranger les textes de nos principes sacrés et de nos sacrés principes.

— Passez-moi le vermouth nouveau », psalmodia le grand prêtre.

Je sursautai :

« Pourquoi du vermouth nouveau ?

— Parce que, selon nos lois, m'expliqua le chef, le grand prêtre n'a pas le droit de lire le livre sacré sans boire un vermouth nouveau.

— Comme nous nous comprenons », dis-je, en passant ma langue sur mes lèvres sèches comme un coup de trique.

Et le grand prêtre récita :

Verset premier

Le plat de côtes est le fléau de l'Humanité. Pourquoi les hommes ne s'accordent-ils pas ? A cause du plat de côtes.

Verset 3

Je demandai, l'interrompant :

« Il n'y a pas de verset 2 ?

— Si, mais il ne dit rien. »

Les chasseurs de plats de côtes ont fait le serment solennel de bouter le plat de côtes hors des frontières de la civilisation, et ce par tous les moyens qu'ils auront à leur disposition : armes à feu, armes blanches ou noires, sarbacanes, lance-pierres unicolores, tire-pavé, fourchettes, mâchoires.

Verset 4

Le plat de côtes est déclaré ennemi public n° 9.

Verset 5

Tout chasseur de plats de côtes qui faillirait à

l'honneur périra par le plat de côtes... Versez vermouth.

« Ah ! vous prenez un autre vermouth !

— Oui, toujours après la lecture des textes sacrés.

— Nous vous comprenons de plus en plus », dis-je d'une voix navrée de ne pas en faire autant.

Puis, je questionnai :

« Dites-nous, maître, quelle est votre nourriture rituelle ?

— Le plat de côtes.

— Comment, vous mangez du plat de côtes ?

— Oui, exclusivement. Car, comme il est encore écrit dans nos textes ; tant plus qu'on en mangera, tant moins qu'il en restera.

— Et c'est méchant, le plat de côtes ?

— Plus qu'on ne le croit. D'ailleurs, ô noble étranger, j'entends nos piqueurs qui s'approchent. L'heure est venue de courir sus au plat de côtes. Ecoutez la sonnerie émouvante du boute-selle. »

Une mélodie guerrière sur tam-tam synchronisé éveilla les échos de la forêt vierge.

« Ah ! comme c'est émouvant, dis-je, j'ai le cœur qui me serre.

— Et mes chaussures aussi, ajouta l'interprète, bien qu'il fût nu-pieds.

— Messieurs, en avant ! hurla le chef de la tribu, la chasse commence. »

A dire vrai, il y eut un peu de confusion chez les chasseurs. Les cris les plus divers me parviennent :

« Allez, allez, taïaut !

— Là, là, attention, malheureux, vous tirez sur un paleron.

— Encore un, là ! Ah ! ça tombe comme du ras de lotte. Voilà un plat de côtes blessé qui nous charge, et vous savez, messieurs, le plat de côtes blessé, c'est terrible. A vous, tirez !

— Je l'ai eu juste entre les deux yeux. »

Le chef, soudain, se dresse dans la clairière :

« Assez ! arrêtez l'hécatombe. Rassemblez les

176

pièces, formez le tableau de chasse. Combien de pièces ?

— Douze pièces, une cuisine et un débarras.

— Belle chasse, messieurs. Mais que vois-je, au milieu des plats de côtes, un aloyau ? Malédiction ! Hérésie ! qui a tiré sur cet innocent aloyau ? Qu'il se dénonce sur-le-champ ! »

Tout tremblant, un chasseur se présenta :

« C'est moi, maître.

— Qu'il soit puni selon les textes ! hurla le chef. Appliquez-lui sur l'heure et sur les reins cinquante coups de plat de côtes.

— Non, pas ça, grâce, grâce... » gémit le malheureux.

Mais, implacable, le chef continua :

« Grand prêtre, emparez-vous du coupable et exécutez la sentence.

— Passez-moi le vermouth nouveau, dit celui-ci.

— Y a plus du nouveau, murmura un esclave.

— Alors, donnez-moi du vieux. »

Je m'étonnai :

« Ah ! le grand prêtre boit encore du vermouth ? »

Et le chef me répondit :

« Oui, toujours avant une exécution... Bourreau, faites votre office. »

Ce fut un affreux carnage et sans pitié. Je dus me raidir pour que les battements de mon cœur ne brisent point mes fixe-chaussettes.

« Justice est faite, dit le bourreau d'un ton sombre comme une sauce blanche.

— Voilà, noble étranger, dit le chef, vous pouvez être fier. Vous êtes le premier et vraisemblablement le dernier à avoir pénétré les secrets de nos chasseurs. Puisse le souvenir en demeurer gravé là où vous avez l'habitude de graver vos souvenirs. »

Des esclaves m'apportèrent alors six plats de côtes prélevés sur le tableau de chasse, que par une délicate attention le grand prêtre avait fait encadrer en caoutchouc synthétique passé au brou de noix et aux pertes et profits.

Toute la tribu accompagna ma caravane jusqu'à l'orée de la forêt vierge et martyre, avant moi inexplorée, et chacun, les larmes aux yeux, agita sa coiffure de snow-boots, tandis que, sur un coup de sifflet du chef — du chef de gare, cette fois-ci — le petit train départemental s'ébranlait à toute vapeur.

G. K. W. VAN DEN PARABOUM.
*(Membre révoqué de la Société
de Géographie Rythmée.)*

CHANT DE GUERRE
DES CAVALIERS D'HANNIBAL

Paroles et musique du professeur BARNABE.

MUSIQUE

En raison des circonstances, nous n'avons pas eu la possibilité de faire graver la musique, mais nous en donnons la traduction :

Mesure : 6-8.

A la clef : Quatre dièses, deux bémols, trois bécarres.

Demi-soupir : Do-ré-la-si (en croches) la-do-mi-ut-ré (point d'orgue) mi-sol-si-la-fa (en blanche, noire, double croche et noire pointée) la-fa-do, etc. (Recommencer jusqu'à ce qu'on en ait assez.)

Paroles

*Dans la jungle où la panthère
fait la chasse aux Esquimaux,
laissons paître nos chameaux
parmi les pommes de terre !*

Boum da boum, ba la doum doum !

Si les veaux, armés de haches,
nous font des difficultés,
n'en soyons pas attristés :
les veaux ne seront pas vaches !

Boum da boum, ba la doum doum !

Mais évitons les jaunisses
en grimpant sur les sommets ;
car les vaches, plus jamais,
ne redeviendront génisses !

Boum da boum, ba la doum doum !

Conseils aux amateurs pour l'exécution de ce morceau : Ce chant de guerre, traduit du carthaginois par M. le professeur Barnabé, de l'Institut, paraît avoir été composé, vers l'an 218 avant notre ère, par le général Narr-Havas (rien de l'Agence), suffète des Numides d'Hamilcar. Il doit être chanté à trois voix, mâles autant que possible, sur un ton vif et rythmé. Il gagne à être dansé, en même temps que chanté. Le refrain sera accompagné du tambour en plumes de tortue. Si, en raison des circonstances actuelles, on ne peut se procurer des plumes de tortue, on peut les remplacer par le serre-tête d'un petit huissier bien sec.

N. B. — Souvent, après l'exécution de ce morceau, l'artiste est pris d'une défaillance bien naturelle. Il suffira de l'étendre au grand air, en dégrafant ses vêtements. La guérison est la règle.

L'ESPIONNAGE EN GENERAL
ET L'ESPIONNAGE EN PARTICULIER

J'ai souvent parlé de l'espionnage : c'est une question que je possède aussi complètement que ceux qui la connaissent autant que moi ; c'est dire que si quelqu'un est qualifié pour parler des mystérieux travaux qui en résultent, c'est bien moi.

Le grand public, sur la foi d'une littérature un peu spéciale, a sur l'espionnage une opinion de confection qui est certainement loin d'être à la mesure de la réalité objective ; c'est-à-dire que cette réalité objective dépasse de loin les conceptions romanesques des auteurs spécialisés dans la chose en question.

Or, pour lutter efficacement contre l'espionnage, il convient que chacun, dans sa sphère, en connaisse les principaux éléments. C'est la tâche que je me suis assignée aujourd'hui et que je vais essayer de mener à bien.

Comme l'explique le titre du présent article, il convient de discerner deux espionnages : l'espionnage en général et l'espionnage en particulier. Ces deux formes d'espionnage ne se différencient entre elles que par des impondérables auxquels personne n'a jamais rien compris et qui font qu'en définitive on ne considère plus l'espionnage que sous une seule forme, c'est-à-dire la bonne. Quand on sait déjà tout ça, on n'est pas loin d'avoir compris de quoi il retourne et surtout de quoi il s'agit.

Les espions, comme on s'en doute, sont subdivisés en plusieurs catégories qui sont reliées entre elles par des cloisons étanches et strictement autonomes, lesquelles permettent aux agents secrets de maintenir une liaison permanente parmi les différents maillons de la chaîne circulaire qui constitue le chemin de ronde de tout le système. Il n'y a pas à épiloguer davantage sur cette explication dont la clarté est propre à aveugler les plus réfractaires.

La principale question qui se pose pour tout citoyen désireux de ne trahir aucun secret intéressant la défense de son pays est celle-ci : comment déceler la présence d'un espion, comment le reconnaître ?

Il faut, pour parvenir à ce stade de discernement, des dons d'observation et un entraînement progressif qui sont loin d'être à la portée du commun des mortels. Il est extrêmement rare qu'un authentique espion se vante publiquement de sa qualité d'espion ; quand ça se produit, c'est généralement un faux espion qui, par esprit de mystification, tente de se faire passer pour un vrai ; mais il arrive aussi qu'un vrai espion proclame à haute voix ce qu'il est afin qu'on le prenne pour un faux ; c'est à ce moment que le doigté et le tact sont plus que jamais nécessaires.

Il existe des espions qui se camouflent de façon tout à fait extraordinaire ; un de mes amis, actuellement ministre plénipotentiaire dans une raffinerie de plaques tournantes, me racontait récemment qu'il avait connu un espion dont la spécialité était de se camoufler en fauteuil à bascule ; c'était à s'y méprendre, et les gens, le prenant pour un véritable fauteuil, s'asseyaient dessus et dévoilaient leurs secrets, que notre homme de fauteuil se hâtait d'enregistrer mentalement ; c'est grâce à cet ingénieux stratagème qu'il apprit la conclusion de l'armistice juste le lendemain de la signature du Traité de Versailles.

En résumé, il faut se méfier ; non pas à tort et à travers, mais méthodiquement : n'oubliez pas que la déformation professionnelle incite tous les espions à épier ; alors, méfiez-vous de ceux qui épient ; si vous les avez repérés, épiez-les à votre tour et vous vous trouverez ainsi placés dans la situation avantageuse de celui qui, étant épié par un homme qui l'épie et le sachant, l'épie à son tour, ce qui fait que celui qui épie devient épié par celui qu'il épie.

Comme vous le voyez, tout s'enchaîne, tout se tient, tout se lie.

Enfin, il est élémentaire, et on ne le répétera jamais assez, DE SE TAIRE ; ne parlez pas, ne dites rien ; si vous avez quelque chose à confier, dites que vous ne pouvez pas le dire, et si vous êtes absolument obligé de le dire, dites-le en vous arrangeant pour que ça ne veuille rien dire.

Ce n'est qu'en suivant aveuglément ces principes que vous ferez votre devoir de citoyen et que vous aiderez aussi à desserrer la trame de la toile d'araignée qui menace de se tisser autour des imprudents et des inconscients.

Attention ! les murs ont des oreilles, les planchers des tympans, les poêles mobiles des antennes et la T.S.F. des fils d'Ariane qui sont à l'écoute.

PIERRE DAC.

AVIS

Nous ne saurions trop recommander aux personnes qui nous adressent des lettres anonymes de joindre un timbre pour la réponse.

AVIS

Par décision du Ministère de la Gomme à claquer, les passages cloutés seront désormais réservés exclusivement aux piétons, non seulement dans le sens de la longueur mais aussi dans celui de la largeur. Toutefois, pour permettre aux automobilistes et assimilés de traverser quand même ces passages cloutés, un passage clouté supplémentaire, réservé aux véhicules, sera établi au milieu de chaque passage clouté, c'est-à-dire qu'il y aura un passage clouté pour véhicules dans chaque passage clouté pour piétons ! Si le besoin s'en fait sentir, on tracera d'ailleurs un troisième passage clouté, permettant aux piétons de traverser sans risques le passage clouté pour voitures des passages cloutés pour piétons et un quatrième passage clouté pour les voitures. Et ainsi de suite, jusqu'à ce que la chaussée soit complètement pavée de clous. Pour les grilles d'égout, rien de changé.

UN BEL ANNIVERSAIRE

Mes chers amis,

Anatole France a dit : « L'anniversaire est à l'homme ce que le savon noir est à la pâtisserie fine. » Comme ces paroles du charmant philosophe sont vraies ! d'autant plus que, réflexion faite, elles ne sont pas de lui, mais d'un écrivain du XIIIe siècle, nommé René La Volige, auteur d'une pièce de vers intitulée : « Le passe-lacet astucieux ou l'étonnante aventure d'un vérificateur des poids et mesures devenu placier en gaz moutarde par désespoir d'amour. » Je ne fais pas cette citation au petit bonheur, dans le but mesquin de faire étalage d'une érudition consacrée depuis longtemps ; non, mais si je vous parle des anniversaires en général, c'est que j'en célèbre un aujourd'hui qui me concerne directement en même temps qu'il m'est personnel et particulier. Mes chers amis, c'est aujourd'hui l'anniversaire de mon premier petit-suisse !

De toutes parts m'arrivent des télégrammes de félicitations et je remercie mes nombreux correspondants qui, en dépit des soucis de l'heure, ont bien voulu se souvenir de cet anniversaire mémorable.

Songez, mes bons amis, que j'ai été élevé dans le culte du petit-suisse ; enfant, on me disait : « Plus tard, quand tu seras grand, si tu travailles bien et que tu sois refusé à tous tes examens, tu auras un petit-suisse. » J'en rêvais la nuit et, à quinze ans, j'écrivis une ballade enflammée à la gloire du petit-suisse ; chez mes grands-parents, il y avait, dans le salon-buanderie, un grand tableau attribué à Véronèse, représentant un petit-suisse au clair de lune. C'était saisissant de réalisme. Ah ! quels charmants souvenirs !

Enfin, à dix-sept ans, j'eus mon premier petit-suisse ; j'étais tellement ému et fier que je ne le mangeai pas et, sur les conseils de ma famille, je le fis empailler.

Il est maintenant sur ma cheminée, reposant sous un globe en pitchpin décoré.

Depuis, j'ai mangé beaucoup de petits-suisses, mais aucun ne m'a procuré la sensation de celui dont je fête aujourd'hui l'anniversaire, et qui, à vrai dire, était un morceau de gorgonzola maquillé et travesti à l'occasion du mardi gras.

PIERRE DAC.

Pour parler et écrire couramment le russe, apprenez d'abord l'anglais : ça vous permettra de vous rendre compte que ces deux langues n'ont absolument aucun rapport entre elles.

UNE VISITE
A L'ECOLE D'ESPIONNAGE Nº 27
(Au Palais de la S.D.L.)

VICE-PRESIDENT. — Monsieur le Président, il y a un pigeon qui veut vous parler.

PRÉSIDENT. — Un pigeon ?

VICE-PRESIDENT. — Oui, mais pardon : un pigeon voyageur !

PRÉSIDENT. — Eh bien ! faites-le entrer.

Bonjour, monsieur le Pigeon ; excusez-moi, je ne suis pas habitué à converser avec vos congénères et j'ignore tout de la lampe pigeon, je veux dire : de la langue pigeon... Voulez-vous un peu de maïs ?

LE PIGEON. — Si ça ne vous dérange pas, j'aimerais mieux un petit coup de beaujolais.

PRÉSIDENT. — Ah ! bon... Alors, vous n'êtes pas un vrai pigeon ?

LE PIGEON. — Oui et non. Je serais plutôt un homme déguisé en pigeon...

PRÉSIDENT. — Je me disais aussi... J'ai déjà vu des pigeons, mais de 1,75 mètre de haut... Enfin, monsieur, m'expliquerez-vous pourquoi vous vous êtes déguisé en pigeon ? Le carnaval est passé...

LE PIGEON. — Plus bas... Vous êtes sûr des gens qui vous entourent ?

PRÉSIDENT. — Aussi sûr que je n'en suis pas certain.

Le Pigeon. — Bon. Permettez-moi de me présenter : M. X-215 G. 7, Intelligence Service.

Président. — Voulez-vous me permettre de vous féliciter... Vous ne m'auriez pas dit que vous étiez un faux pigeon, vous n'auriez pas été long à aller faire un petit séjour dans une casserole. D'autant plus qu'avec votre cravate à petits pois l'illusion est complète.

Le Pigeon. — Chut ! regardez sur mon aile gauche.

Président. — Oh ! voici un tube en aluminium qui contient un papier à mon adresse... Voyons ce qu'il dit : « Anana hum a. » Ça doit être un langage chiffré. Ah ! mais oui ! J'y suis maintenant. Il y a quelque temps, j'ai adressé au nom de la S.D.L. une demande pour visiter l'Ecole d'Espionnage n° 27, filiale du bureau central de l'Intelligence Service. Et c'est cette autorisation qui me parvient par le truchement de cet honorable pigeon... Je vous remercie, monsieur... heu, comment ?

Le Pigeon. — Julien Laplume, rue du Lâcher, à Colombes.

Président. — Alors que dois-je faire, monsieur ?

Le Pigeon. — Voulez-vous prendre, monsieur le Président, sous mon aile droite les instructions qui vous sont destinées, avec l'itinéraire que vous devez suivre pour arriver à l'endroit désigné ? Je pars pour annoncer votre arrivée. Voulez-vous avoir l'obligeance de m'ouvrir la fenêtre ? Il vaut mieux que je sorte par là... ça paraîtra plus vraisemblable...

Quelques heures plus tard, en rase campagne, dans un endroit qui donnerait le frisson aux plus courageux. La nature a l'air entièrement fabriquée. Il y a notamment une plaine qui ressemble comme deux gouttes d'eau à un commissaire de la Sûreté nationale. Mais le platane vient de mettre une branche sur sa bouche pour recommander la discrétion.

Président. — Pas un mot, messieurs, pas un

geste en dehors de mes indications. Voyons, que je consulte les instructions. « Grimpez dans le poirier à votre gauche. » Huissier, faites-moi la courte échelle. Bon, merci. « Appuyez sur la sixième poire de la quatrième branche. » Etonnant ! C'est une poire en caoutchouc. « Ceci fait, appuyez énergiquement sur la pomme d'Adam du troisième factionnaire situé sous la douzième motte de terre en partant du pied droit de l'arbre direction sud-sud-est. » C'est bien cela, voilà le factionnaire dont il est question. Appuyez donc sur sa pomme d'Adam.

LE FACTIONNAIRE. — Aïe !

PRESIDENT. — Ah ! bien trouvé, le cri du factionnaire a fait retentir une sonnette au lointain. C'est prodigieux... Un carré de céleris-raves vient de se soulever, démasquant l'entrée d'un souterrain dans lequel nous allons pénétrer. Oh ! cette entrée est sinistre et rappelle l'enfer de Dante. D'ailleurs, il y a une inscription au fronton : « Vous qui entrez ici, laissez vos chaussures, on vous les fera pour la sortie. » Messieurs, déchaussons-nous. Maintenant, avançons...

UNE VOIX. — Arrêtez-vous.

PPRESIDENT. — D'où vient cette voix ?

LA VOIX. — Faites demi-tour ! Mettez-vous l'un derrière l'autre, sur quatre rangs : le troisième rang à la hauteur du premier. Appuyez-vous contre le mur. Fermez les yeux.

PRESIDENT. — Très curieux ! Sous notre poussée, le mur a basculé et nous voici maintenant dans une immense salle décorée d'une fresque représentant un voyageur de commerce victime d'un retour de manivelle... Ah ! mais voici notre pigeon... Cette fois, il est camouflé en endives au jus et il est accompagné d'un gentleman revêtu d'un costume qui imite le rôti de veau à s'y méprendre.

LE PIGEON. — Messieurs, je vous présente 1242 RB 7 qui va vous faire les honneurs de la maison. Mais, auparavant, une petite formalité à remplir...

Voulez-vous passer l'un après l'autre sous ce seau en tôle galvanisée qui est suspendu ici ?

PRÉSIDENT. — Voulez-vous m'expliquer pourquoi ce coup du seau sur le crâne est obligatoire ?

LE PIGEON. — C'est le seau du secret, monsieur, et toute personne qui entre ici doit passer dessous.

L'HOMME. — Alors, messieurs, que voulez-vous savoir ?

PRÉSIDENT. — Alors comme ça, c'est une école d'espionnage, ici ?

L'HOMME. — Peut-être...

PRÉSIDENT. — Vous êtes beaucoup ?

L'HOMME. — Un peu plus.

PRÉSIDENT. — Jamais moins ?

L'HOMME. — Jamais.

PRÉSIDENT. — Quelles sont les principales qualités requises pour être un bon espion ?

L'HOMME. — Il faut savoir loucher.

PRÉSIDENT. — Pourquoi ?

L'HOMME. — Pour voir de tous les côtés à la fois, tout en conservant une idée derrière la tête. Tous les agents doubles que nous envoyons sur la frontière louchent, ce qui leur permet de se procurer des renseignements dans les deux camps.

PRÉSIDENT. — Et qu'est-ce que le contre-espionnage ?

L'HOMME. — C'est de l'espionnage devant lequel on a mis le mot : contre...

PRÉSIDENT. — Mon Dieu ! Je me suis brûlé sur un radiateur...

L'HOMME. — Attention, monsieur, vous ne voyez pas que ce radiateur est malade ?

PRÉSIDENT. — Malade ?

L'HOMME. — Oui, c'est le 4327 YG, il a une fièvre terrible. Ici, dès qu'un élève est fiévreux, on lui fait endosser le costume réglementaire nº 2 de radiateur et, par l'intermédiaire d'une entreprise de chauffage central à nos ordres, on l'installe dans le salon d'une ambassade ou d'un consulat étranger, afin qu'il puisse recueillir des renseignements sans éveiller les soupçons.

Président. — Et il n'y a jamais d'accidents ?

L'homme. — Rarement. Dernièrement, toutefois, nous avons eu un impair : l'agent TRU 63-54 s'est fait prendre stupidement en mangeant un sandwich. Un radiateur qui mange un sandwich. Un radiateur qui mange un sandwich, ça éveille la méfiance...

Président. — Et que lui a-t-on fait ?

L'homme. — Je ne sais pas trop, mais il est revenu avec la tuyauterie dans un drôle d'état ; il a eu l'estomac retourné et l'œsophage dévié, c'est vous dire qu'il nous était utile. Enfin, ce sont les risques du métier.

Jacques Allahune.

191

VARIATIONS EN SI

Mieux que les plus purs alexandrins, mieux que les odes les plus lyriques, un simple mot, que dis-je, une simple conjonction conditionnelle, me permet d'accéder aux plus hautes sphères de la poésie transcendantale sans le secours du moindre quatrain ni du moindre sonnet.

Cette clef précieuse, c'est le mot « si ». Qu'est-ce que le mot « si » ? Un tout petit mot qui se dissimule timidement dans le maquis grammatical.

Et pourtant, quelle puissance ne représente-t-il pas ! Avec le mot « si » on peut faire tout ce qu'on ne peut pas faire ; on peut réaliser l'irréalisable et devenir tout ce qu'on ne pourra jamais être.

Qui de nous ne s'est souvent écrié : « Ah ! si je pouvais accomplir ceci ! Ah ! si je pouvais avoir cela ! » En même temps qu'on formule son désir, celui-ci prend corps, devient vivant et l'imagination aidant se concrétise et devient tangible. Et tout cela grâce à qui ? Au mot « si » tout simplement.

C'est pourquoi, fréquemment, je me mets à jongler avec des « si » ; alors, je passe des heures extraordinaires dans le domaine de l'inaccessible où je me rends par la route enchanteresse que bordent les arbres fleuris de la quatrième dimension, et je me dis : « Voyons, si j'étais une locomotive, je me nourrirais exclusivement de charbon, et comme le charbon est bon pour l'estomac, je n'aurais jamais de gastralgie » ; grâce à ce « si », je me vois en locomotive et, à mon gré, toujours par le truchement de ce « si » fantastique, je me transforme en manche de pioche ou en pèlerine écossaise.

D'autres fois, plus positif, j'emploi mes « si » à des fins plus objectives ; je suppute ce que je ferais si je gagnais un ou plusieurs millions à la Loterie nationale ; ces « si » me font pénétrer dans des restaurants où l'on mange le caviar avec une fourche et où le café-filtre se déguste avec une lardoire.

Hier encore, je songeais, dans le silence de ma cave à réglisse, que si je pouvais transformer mes lunettes en chaussures de chasse il me serait loisible de marcher sur les yeux ; et, de si en si, j'en arrivais à devenir champion du monde de cross oculaire aux acclamations d'une foule mise hors d'elle-même par cet exploit sans précédent.

Je sais bien qu'on prétendra que je ne sais pas ce que je dis ; c'est également mon avis et c'est aussi ce qui fait ma force ; mais on ne m'empêchera pas de rendre au mot « si » l'hommage qu'il mérite et de le remercier des espoirs qu'il nous donne en une époque où le temporel a le pas sur le spirituel et où la limonade gazeuse remplace au pied levé la force motrice des embryons moléculaires.

PIERRE DAC.

LES DRUIDES RECLAMENT

Une manifestation qui nous rajeunit diablement vient d'avoir lieu aux Andelys : le Congrès celtique du collège bardique des Gaules. C'est dans une clairière du square de la ville où un banc avait été réservé à la presse spécialisée qu'il nous a été donné d'assister à cette émouvante renaissance des plus pures traditions de nos ancêtres. Une dizaine de druides sont venus en foule y discuter des problèmes de leur époque. Ce sont de rudes gaillards aux barbes de neige, aux regards de glace, et vêtus de draps brodés dont les plis harmonieux contrarient noblement leur marche. L'un d'eux, qui paraît être le chef, porte un oreiller en guise de coiffure.

« Il craint que le ciel ne lui tombe sur la tête », m'explique mon voisin, rédacteur au *Petit Druide illustré.*

Nous nous approchons du vieillard qui considère avec un peu de mépris notre ridicule complet-veston. Ses compagnons se poussent du coude en pouffant de rire comme des collégiens qu'ils sont.

« Monsieur le grand prêtre, nous aimerions connaître le programme des travaux du Congrès...

— Au point de vue intérieur, nous voulons accélérer la dénicotinisation des Celtiques, au même titre que celle de nos consœurs gauloises, tombées déjà dans le dolmen public... Nous exigeons aussi une réglementation des heures supplémentaires pour la cueillette du gui...

» Au point de vue extérieur, nous le déclarons tout net : nous en avons assez des menaces de l'étranger. Ce Jules César commence à nous échauffer les oreilles. Mais la Gaule saura faire front. Comme l'affirment énergiquement nos bardes : ça va barder ! »

Cependant, de fiévreux préparatifs attirent notre attention. Quatre druides spirites se sont assis autour d'un dolmen fabriqué pour la circonstance par un spécialiste du meuble breton et s'appliquent à le faire tourner. Un coup pour oui, deux coups pour non, trois coups pour la femme de chambre.

« Vercingétorix, es-tu là ? » murmure le grand prêtre.

Maintenant va commencer la plus importante cérémonie du Congrès. Comme on n'a pu trouver la moindre branche de gui dans la région et qu'on n'a pas eu la patience d'attendre la Saint-Sylvestre, on a invité un gentleman-farmer des environs connu pour ses opinions bardiques, M. Guy de Latour-Prend-Garde, et on l'a prié de grimper au bec de gaz de la Grand-Place. Tous les druides s'arment de longues perches, et vlan ! vlan ! ils se mettent à gauler le Guy qui dégringole enfin sur l'oreiller du chef aux cris mille fois répétés de :

« Les Celtes au pouvoir ! »

MAURICE HENRY.

QUAND LES ADORATEURS DE LA DAUBE TIENNENT LEUR CONGRES SECRET... ET FIGENT POUR L'ETERNITE UN TRAITRE A LA CONFRERIE

M. Patausabre m'avait dit, de sa voix tonitruante, dans le tuyau de l'oreille :

« Je ne vous verrai pas mercredi... je vais au congrès secret des daubistes.

— Les daubistes, fis-je, qu'est-ce que c'est que ça !

— Les daubistes, mon cher ami, sont des fanatiques qui ont le culte du bœuf en daube. Pour eux, l'origine du monde est dans la daube et la finalité des choses est également la daube. »

Il me fallut beaucoup insister pour que notre ami Patausabre veuille bien — au risque de sa vie — m'emmener avec lui au Congrès des daubistes.

« Dans cette région qu'ils habitent, commença mon guide, dans cette région...

— Mais où sommes-nous exactement ?

— C'est un grand mystère... Tout ici, vous disais-je, est camouflé, même le paysage. »

Comme je me penchais pour cueillir, au passage, une jolie fleur :

« Vous perdez votre temps, me dit M. Patausabre, ce que vous prenez pour une tulipe, c'est un jeu de dominos camouflé en tulipe... Ah !... attention... on vient.. écoutez !... »

En effet, au lointain, un cri retentissait.

« Je crois que cet appel est pour moi. Il faut que j'y réponde. Attendez, que je consulte les instructions qui m'ont été fournies. »

A la page 296, au 3ᵉ alinéa, mon ami trouva enfin :

« Ah ! « A l'appel du cri de la chouette, répondre par deux fois par le cri du mille-pattes adulte... » Mais, bon Dieu !... j'ai oublié ce cri..., le connaissez-vous, vous ?

— Quand j'étais bambin, dis-je, en repassant mes souvenirs, je savais fort bien faire le cri du mille-pattes adulte... Maintenant, hélas ! je l'ai complètement perdu... Par contre, j'imite remarquablement le rugissement de la ventouse sacrifiée.

— Ça se ressemble... Allez-y. »

A mon cri, un autre ululement répondit, et, sans transition, un daubiste s'avança :

« Le grand chef vénéré de notre secte m'envoie vers vous pour vous guider et vous amener jusqu'à lui... Nous n'avons pas un instant à perdre, suivez-moi... Nous allons entrer par le saule pleureur là, à gauche...

— Par le saule pleureur ?

— Oui, c'est une porte secrète camouflée en saule pleureur. »

A la suite du « sectaire », nous entrons dans le saule pleureur qui s'est ouvert à deux battants, et nous montons les deux étages qui doivent nous conduire au souterrain qui va jusqu'à la salle centrale où se tient le congrès daubiste...

Nous approchons, car déjà nous entendons les chants sacrés, prélude de la grande cérémonie...

Chantons le bœuf en daube
De la nuit jusqu'à l'aube
Chantons le bœuf en daube
Jusqu'à l'aube
Bœuf en daube (bis)
Daube, daube.

Le spectacle qui s'offre à nos yeux est véritablement saisissant. Les daubistes sont réunis au pied d'un socle sur lequel trône un immense bœuf en daube, sur lequel des hommes sacrés à eux déversent constamment de pleins arrosoirs de sauce. Cette partie du rite s'appelle nappage en langage daubiste. Tout de suite, la cérémonie entre dans une autre phase. Le chef des daubistes, monté sur les épaules du grand prêtre, est porté jusqu'à une sorte de trône qui, il faut bien l'avouer, ressemble comme deux gouttes d'eau à un pliant... Il harangue ses troupes :

« Frères daubistes, dit-il, nous voici enfin réunis pour notre grand congrès. J'en suis fier et ravi, car aujourd'hui nous allons admettre au sein de notre société quelques néophytes que je vais consacrer moi-même avec l'aide du grand prêtre. »

Les paroles sibyllines du chef daubiste s'expliquent du fait de l'attitude du grand prêtre sur lequel il est juché qui, sauf le respect que je lui dois, me paraît légèrement pris de boisson.

Ce qui devait arriver arrive en effet, le grand prêtre s'écroule soudain entraînant dans sa chute le chef daubiste. Mais la dignité du lieu et de la cérémonie n'en est nullement compromise. Le grand prêtre reste noblement allongé et le chef daubiste s'assied sur lui, ce qui est nettement plus prudent. Puis un néophyte s'approche, pour répondre à l'interrogatoire rituel.

LE CHEF. — D'où viens-tu ?
LE NEOPHYTE. — De la daube.
LE CHEF. — Qu'est-ce qui coule dans tes veines ?
LE NEOPHYTE. — De la daube.
LE CHEF. — Pour qui dois-tu vivre ?

LE NÉOPHYTE. — Pour la daube...

LE CHEF. — Pour qui dois-tu mourir ?

LE NÉOPHYTE. — Pour la daube...

LE CHEF. — C'est bien... que les destins s'accomplissent.

Après ces fortes paroles, le néophyte subit l'épreuve suprême de la sauce du même ton. Il est conduit devant un grand daubiste entre deux âges et entre deux piliers. Celui-ci tient à la main un paquet de couennes d'une bonne livre et demie et en frappe à coups redoublés la tête du néophyte.

Et voici que deux hommes se saisissent de ce dernier et le plongent dans un immense récipient rempli de daube jusqu'aux bords. Le néophyte doit ramener à la surface un morceau de pied de veau pour être définitivement admis daubiste.

Après quelques essais infructueux, il remonte bien avec un pied, mais c'est celui d'un précédent néophyte qui était resté au fond.

A cette vue, des cris divers s'élèvent de l'assistance jusqu'alors recueillie et silencieuse.

Le grand prêtre s'agite et fait comprendre, comme il peut, que l'erreur du néophyte doit être sévèrement châtiée. Sur un signe du chef, deux daubistes convers s'emparent du néophyte couvert de sauce et le placent entre deux portes ouvertes, c'est-à-dire en plein courant d'air. Aussitôt la sauce se fige et se convertit bientôt en gelée. Le malheureux néophyte est ainsi transformé en une statue de daube en gelée. La scène est pénible à voir. Le chef se lève, impose le silence et, d'une voix caverneuse, s'écrie :

« Ainsi périssent les traîtres... Avis aux amateurs et à ceux qui veulent surprendre les secrets de notre confrérie... »

A ces mots — que je pris un peu pour moi — je pris le parti de battre en retraite.

Heureusement, avec une présence d'esprit aussi rare que magnifique, notre ami Patausabre, d'un coup de doigt, ferma le compteur électrique.

Tandis que nous sortions en hâte, une horrible

bagarre s'engagea dans l'obscurité subite. Nous étions déjà hors de portée lorsque nous vîmes, sous la porte du souterrain, couler un flot de daube liquide et de sauce suprême...

G. H. W. VAN DEN PARABOUM.

IL Y A ENCORE EN FRANCE
DES SITES DESOLES

Qu'est-ce qu'on attend pour les consoler ?

Est-il possible que les pouvoirs publics laissent dans la tristesse et le désespoir des sites auxquels il ne faudrait peut-être qu'un mot d'encouragement pour leur rendre le goût à la vie ?

BULLETIN METEOROLOGIQUE

Prévisions pour le prochain week-end :
— Tendance générale : optimiste.
— Région parisienne : bonne orientation.
— Bretagne, Normandie : très ferme.
— Nord, Nord-Est, Sud-Ouest, Nicaragua, Villeneuve-Saint-Georges, Côte d'Azur, Côte d'agneau, Entrecôte des Maures : nuageux, plafond assez bas et ouvragé avec plancher surbaissé et plastifié.
Pression barométrique : 2 hectowatts par 0 m 375 de gaz. Mer : mouvante. Production pour la semaine écoulée : 49 906 750 barils.
Température probable :
— Sous le bras : 37°6
— Sous la langue : 36°9
— Ailleurs... suivant le cas.
Dernière minute : Régions limitrophes : ciel couvert se découvrant progressivement devant les enterrements et les cortèges patriotiques.

SAVOIR-VIVRE

Lorsque vous écrivez à des amis, vous n'hésitez pas à inscrire leur nom et leur adresse sur l'enveloppe. Eh bien, c'est l'indice d'un intolérable sans-gêne : car enfin, ça peut les gêner, ces amis, de voir ainsi divulguer leurs nom et adresse.

Désormais, soyez plus discrets ; mettez vos enveloppes sous enveloppe.

L'AVIS DES ANCIENS

Je ne voudrais pas paraître entaché de fatuité et de suffisance, pas plus que gonflé d'orgueil, d'arrogance et de vanité, mais je crois cependant pouvoir affirmer, en dépit de la jalousie que cette audacieuse déclaration risque de provoquer chez certains confrères résolument atrabilaires, que nous venons d'avoir un été véritablement étrange. A la vérité, d'ailleurs, et toute réflexion exclue, trop étrange pour être bizarre et trop bizarre pour être curieux. Je m'excuse de n'avoir point le temps nécessaire à l'explication de cette constatation, mais je suis persuadé que la sagacité infuse de nos lecteurs se passera fort bien d'un inutile commentaire, par surcroît superflu. Or, qu'on le veuille ou non, un été comme celui que nous venons de subir n'est pas naturel. Il doit y avoir, à mon avis, à cet état de choses d'autres causes que celles communément admise comme étant d'ordre atmosphériques ou météorologique.

En conséquence, sur la fin de mes vacances et avant de regagner Paris, désireux d'en avoir le cœur net, je suis allé demander l'avis des plus vieux du pays. Car avez-vous remarqué que chaque fois qu'une saison est anormale, qu'il s'agisse de froid très rigoureux, de chaleur excessive, de pluie diluvienne ou de sécherresse prolongée, il est de rigueur d'aller consulter les plus vieux du pays et de leur demander s'ils se souviennent d'avoir jamais vu un temps pareil tout au long de leur existence ? A quoi les plus vieux du pays répondent, d'une manière unanime et classique, que de mémoire de plus vieux du pays ils ne se rappellent pas avoir vu quelque chose de semblable. Il est également à remarquer que ces interviews se prennent plus particulièrement à l'époque des vacances, et autant que possible entre les repas, dans un peu de vin de Tokay ou de limonade des Carpates.

A l'endroit donc où je me trouvais, je demandai au maire de la localité de bien vouloir me mettre en rapport avec les plus vieux du pays.

« Bien volontiers, voulut bien me répondre l'aimable magistrat municipal, mais je tiens à vous prévenir que les plus vieux du pays se réduisent pour l'instant à un seul, les circonstances difficiles que nous traversons ne nous permettant pas de faire mieux ni d'augmenter les charges déjà trop lourdes auxquelles nous avons à faire face.

— Mais pardon, m'étonnai-je, quelque peu interloqué par ces propos sibyllins, votre plus vieux du pays, d'après ce que je crois comprendre, émargerait au budget municipal ?

— Exactement, fit le maire, tous les ans, n'est-ce pas, ou à peu près, des journalistes ou de simples touristes se croient obligés d'interroger le ou les plus vieux du pays ; alors, pour faciliter les choses et éviter des recherches parfois laborieuses, tout en ménageant les suceptibilités, toutes les communes de France se sont mises d'accord pour désigner chacune, et suivant leurs possibilités, un ou plusieurs vieux du pays qui se tiennent en permanence à la disposition du public. »

Ayant ainsi parlé, le maire me conduisit jusqu'à une maison devant laquelle se tenait, assis sur un banc, un homme d'apparence jeune et vigoureuse qui s'appuyait des deux coudes sur un bâton noueux et en cornouiller du Texas.

« Alors, comme ça, fis-je, c'est vous le plus vieux du pays ?

— Oui, répondit l'homme.

— Et il y a longtemps que vous êtes le plus vieux du pays ?

— Ça fait six mois aux prochaines pommes de terre sautées.

— Quel âge avez-vous ?

— J'ai eu trente-six ans aux dernières tomates farcies.

— Et avant vous, qui était le plus vieux du pays ?

— C'était mon père, mais il a pris sa retraite

— Ah ! parce que les plus vieux du pays touchent une retraite ?

— Naturellement ! Nous ne pouvons d'ailleurs exercer notre profession de plus vieux du pays que si nous sommes membres du syndicat des plus vieux du pays, lui-même affilié à la C.G.T.

— Et combien de temps pensez-vous occuper le poste de plus vieux du pays ?

— Une dizaine d'années environ.

— Et qui vous succédera ?

— Mon fils, si toutefois le syndicat est consentant.

— Et quel âge a-t-il ?

— Quinze ans ; dans dix ans il fera un plus vieux du pays, tout ce qu'il y a de présentable ; il est vrai que je lui fais suivre des cours spéciaux et que d'ores et déjà il a l'air d'avoir au moins quarante-deux ou quarante-trois ans.

— Alors, dites-moi, que pensez-vous de l'été qui s'achève ?

— De mémoire de plus vieux du pays, on n'a jamais vu ça.

— Et à quoi attribuez-vous cela ?

— Moi, monsieur, je ne fais pas de politique ; en tant que plus vieux du pays, les règlements de notre corporation m'interdisent formellement de vous en dire plus que ce que je viens de vous déclarer. »

Sur ces paroles courtoises, mais fermement prononcées, je laissai l'ancêtre de service à ses méditations, ne voulant pas troubler davantage la sérénité de ses réflexions ni la limpidité de ses conceptions ancestrales, respectueux que je suis des lois de la nature et des coutumes de la tradition.

PIERRE DAC.

DE LA CHAPOSOPHIE

Voilà déjà bien longtemps que je voulais vous faire connaître la chaposophie, mais j'en fus toujours empêché, c'est pourquoi je ne l'ai pas encore fait.

La chaposophie, ou étude du caractère d'après le chapeau que l'on porte, n'est pas une science très ancienne. Toutefois, les Egyptiens la pratiquaient, mais c'était plutôt pour se protéger du soleil qui, à cette époque, bronzait tout, même le marbre.

Ce n'est que beaucoup plus tard que la chaposophie fut découverte en France par le grand-père d'un inconnu mort prématurément. Elle avait été très gravement endommagée par un terrassier maladroit qui l'avait coupée en deux avec sa bêche, et il fallut des années à cet illustre savant pour la remettre au point.

La famille de Médicis connaissait, elle, cette science, puisque la veille de la Saint-Barthélemy on entendit le roi Charles IX dire à sa mère, la reine Catherine : « Maman, tu travailles du chapeau. » C'est un indiscret qui m'a rapporté le propos. Voilà qui explique bien des choses.

Avant d'aller plus loin dans ma conférence, Mesdames et Messieurs, je tiens également à vous faire connaître que la chaposophie n'a rien de commun avec la chapitosophie.

La chapitosophie est une science qui aide à

déterminer le caractère d'après la forme du chapiteau. On la pratique peu dans nos contrées, car si presque tout le monde porte un chapeau sur la tête, bien peu de personnes portent un chapiteau sur leur chef, ou alors, bien entendu, à moins d'être dans le bâtiment.

Et revenons à la chaposophie qui, j'y insiste, peut être divinatoire, mais sauf les jours fériés, le samedi après-midi et pendant la relève de la garde à l'Elysée.

J'ai choisi pour vous quatre magnifiques exemples de chapeaux.

Etudiez avec moi chaque image, fixez-la d'abord, mouillez-la ensuite avec une goutte d'eau, ou si vous n'avez pas d'eau sous la main avec un verre de très vieux madère, fermez les yeux et vous verrez apparaître le caractère du sujet comme si vous étiez dans son salon en train de déguster des biscuits de Sèvres.

Prenons la figure A et suivez-moi bien. Tenez, ne voyez-vous pas sur le papier se dessiner nettement le visage de l'individu, grands yeux verts de bêche, beaux mollets de coq à la grecque, un cigare est serré par des dents solides, et voici déjà une indication : ce sujet est fumeur. Il est en outre soigneux de sa barbe, puisqu'il l'a rasée aux endroits où le feu du cigare pourrait l'endommager. N'est-ce pas magnifique, tout ce que nous découvrons ? Un chapeau, comme je l'ai dit à l'un de mes collègues de l'Académie des sciences, que j'ai rencontré chez la crémière, un chapeau, dis-je, c'est le couvercle qui empêche l'âme de s'échapper par les pores de la peau. D'ailleurs, si Napoléon n'avait pas eu son chapeau, il n'aurait pas pu se faire connaître, et même on ne l'aurait pas envoyé à Sainte-Hélène, c'est une certitude.

Mon collègue de l'Académie des sciences a été si heureux de mes propos qu'il m'a offert l'apéritif sur le zinc où nous avons rencontré M. Salardenne qui faisait la causette avec un export-cassis.

Maintenant que je viens de vous enseigner les rudiments de cette science, je tiens, Mesdames et Messieurs, à ce que vous agissiez avec les figures B, C et D, comme nous le fîmes avec la figure A. Et je pourrai constater, à vos réponses, si vous profitâtes de ma leçon expérimentale.

COMMENT PROTEGER VOS TAPIS
PENDANT L'ETE

Roulez vos tapis ; emplissez d'alcool à 90° un bocal à cornichons ; mettez vos tapis dedans ; bouchez à la cire ; placez le bocal dans un carton empli de boules de naphtaline ; mettez le carton dans un récipient contenant une solution de tisane des quatre fleurs et de chlorate de potasse ; portez le tout à votre banque habituelle et enfermez-le dans un coffre. Vous pouvez alors partir tranquille.

AVIS N° 1

Tous les adultes du sexe masculin ou assimilé, possesseurs d'une barbe poivre ou sel, sont tenus de se présenter dans le plus bref délai munis de leurs papiers d'identité et d'un litre de vinaigre au bureau central des services d'assaisonnement (Préfecture de la Seine) en vue de leur utilisation rationnelle et ultérieure.

AVIS N° 2

Tous les adultes du sexe masculin ou similaire, possesseurs de moustaches dites « à la gauloise », sont priés de se présenter, toutes affaires cessantes, munis de leurs papiers d'emballage et d'un repas froid à la direction des Beaux-Arts en vue de leur collaboration éventuelle à la grandiose reconstitution historique des batailles de Bouvines et de Malplaquet réunies qui sera prochainement donnée dans la salle des fêtes de la cour de Justice, à l'occasion de la commémoration de l'invention de la redingote à percussion centrale.

AVIS N° 3

Tous les adultes du sexe masculin ou limitrophe, possesseurs de faux nez lumineux et de perruque tournante, sont informés qu'ils doivent se présenter aussi rapidement que possible, munis d'un filet garni de leur pot de fleur généalogique, aux bureaux de la Direction générale d'Etudes et Recherches, en vue de leur utilisation comme agent secret dans les services spéciaux.

AVIS N° 4

Le présent avis confirme les avis n°s 1, 2 et 3 précédents, dont il annule les dispositions qui ne pourront être mises en vigueur qu'après examen complémentaire et approfondi des services compétents.

LA PEINTURE AU RATEAU

Mânes de Michel-Ange, de Raphaël, de François Coppée, tressaillez d'aise là où vous vous trouvez ! Voilà enfin la peinture, art majeur, mise à la portée de tous : la peinture au râteau permet de réaliser ce miracle ; il faut reconnaître, d'ailleurs, que cette nouvelle méthode était dans l'air depuis déjà un certain temps et les chefs d'école la désignaient comme devant inévitablement succéder à la peinture au couteau. Certains dissidents en retardèrent l'emploi en essayant de préconiser la peinture à la fourchette et au ramasse-miettes ; le bon sens artistique fit rapidement litière de ces fantaisies déplacées et la peinture au râteau prend dorénavant dans l'histoire de la couleur la place à laquelle elle a droit.

La manière de s'en servir est la suivante : sur une toile préalablement passée au borate de soude, vous jetez à la volée le contenu de deux ou trois pots de peinture : vous étalez à l'aide d'une sarbacane renforcée et vous passez ensuite un râteau dans tous les sens. Le résultat est, à proprement parler, inoubliable et ne contribuera pas peu à rehausser l'éclat de notre patrimoine (de saint Bernardin).

PIERRE DAC.

CAMBRIOLAGE ET MÉDIOCRITE

Lorsque l'évidence approximative se rapproche de l'indéfectibilité relativement éventuelle, ce n'est pas bon signe. Or, nul homme, à moins qu'il ne soit totalement dénué de sens critique, ne peut actuellement ne pas se rendre compte que nous sommes presque parvenus au point où la conjonction précitée risque d'avoir chez nous et ailleurs les conséquences les plus regrettables. Ces conséquences d'ailleurs se traduisent déjà et depuis un certain temps par ce que je n'hésiterai pas à qualifier de médiocrité chronique et généralisée. Je pense que ce mot de médiocrité constitue en quelque sorte le diagnostic des maux dont nous souffrons. Il me serait, à l'instar de tant d'autres, facile d'épiloguer sur les différentes formes que prend la médiocrité tant sur le plan de la politique intérieure que sur le plan de la politique internationale en passant par toutes les autres manifestations de l'existence quotidienne et à la petite semaine. Je n'en ferai rien, car le sens de la médiocrité vient de m'être révélé par un événement banal en soi mais combien plus symptomatique que par des faits, en apparence, beaucoup plus importants. Un peu d'ordre et de chronologie ne seront pas de trop pour faire la preuve de ce que j'avance.

Je suis allé passer le mois d'août à Faïgabad (qui,

comme chacun le sait, est le chef-lieu de la province de Badakchan, en Afghanistan) chez un de mes vieux amis, qui, en sa qualité d'ancien rodeur de soupapes, avait trouvé dans cette localité une situation de rôdeur de barrière en 1932. Nous avons ensemble passé quelques bonnes journées de vacances consacrées en majeure partie à chasser la courroie sauvage dans les montagnes avoisinantes.

A mon retour à Paris, j'ai pu constater, sans avoir à déployer un effort particulier d'observation, que mon domicile avait reçu, pendant mon absence, la visite d'une équipe de cambrioleurs. L'événement, me direz-vous, n'a rien d'extraordinaire. J'en conviens aisément, n'ayant nullement l'intention de me répandre en jérémiades ou en récriminations superflues. Je sais parfaitement que les cambrioleurs sont des gens qui ont le droit de vivre de leur profession autant que les autres citoyens. Je ne leur adresserai donc aucun reproche pour leur acte de cambriolage, puisque depuis un certain temps le vol par effraction est devenu une des formes de la reprise économique du pays en même temps qu'une des formes de son redressement progressif.

Mais ce que j'ai le droit et le devoir d'exprimer sans ambages ni retenues à ceux qui ont pillé ma maison, c'est mon mépris et ma muette réprobation, non pas, je le répète, pour leur expédition, mais pour leur lamentable médiocrité. Je ne sais si ces messieurs liront cet article ; qu'ils me permettent de leur dire, en tout cas, qu'ils se font une bien piètre idée de la conscience professionnelle. Ça, des cambrioleurs ? Allons donc ! De minables gougnafiers, de pénibles truands, tout au plus. Aucune méthode, aucun style, aucune classe.

Aussi bien j'attire l'attention de mes concitoyens sur le fait qu'un peuple n'a que les cambrioleurs qu'il mérite. Et ceux d'aujourd'hui ne sont guère reluisants.

Nous n'avons, certes, dans le passé, jamais eu la prétention d'occuper la première place, dans ce domaine ; mais quand même, parmi les cambrioleurs internationaux, les nôtres pouvaient cependant prétendre à un rang plus qu'honorable. Nous sommes bien loin du compte, à présent, pour notre plus grand préjudice et au détriment de notre réputation mondiale.

Que l'on y prenne garde, la médiocrité de nos monte-en-l'air est un symptôme grave de notre décadence. Il est temps, plus que temps, de mettre un terme à ce débraillé, à ce laisser-aller si peu en rapport avec les ancestrales vertus de l'éducation française. Il est nécessaire que les pouvoirs publics prennent urgemment toutes mesures utiles pour que les cambrioleurs français retrouvent, au plus vite, outre le sens de leurs responsabilités, le fond d'honnêteté indispensable au maintien du standing de leur corporation, dans le respect des traditions et de la dignité dans le travail.

PIERRE DAC.

DE L'OMELETTE DE COLOMB
AU BRAS DE MER TATOUE

Les inondations de la Seine ayant dû être, cette année, remises à une date ultérieure, aucune Exposition internationale n'étant prévue, il a fallu ouvrir les écluses pour l'inauguration du Salon nautique, et inviter cordialement l'océan Atlantique, l'Amazone, le lac du bois de Boulogne, la mer des Caraïbes et le bassin des Tuileries.

Car le Salon nautique est le dernier salon où l'on nage. Nous nous y sommes rendus en caleçon de bain, le cou ceint d'une rivière de diamants, une hache d'abordage à la main, un loup de mer sur le visage. A l'entrée, devant laquelle faisaient les cent brasses des hommes-sandwiches aux anchois, nous avons présenté, en manière de coupe-filet, un os de seiche à moelle.

« La presse !

— A qui le dites-vous ! »

Une foule considérable circulait, en effet, autour des vitrines et sous les enseignes de vaisseaux lumineuses, plongeait dans les soutes, flottait parmi les stands : le Tout-Paris et le tout-à-l'égout, le monde maritime et le demi-monde aquatique. Nous avons même aperçu trois sardines sur le poignet d'un monsieur en uniforme. La police était discrètement assurée par quelques sirènes en bourgeois, prêtes à donner l'alarme. Neptune n'avait fait qu'entrer et sortir, car il devait profiter de son séjour dans la capitale pour aller se faire plomber le trident, légèrement carié.

Manifestation d'élégance s'il en fut ! Les couturiers avaient fait un visible effort : c'est ainsi que nous avons remarqué, au hasard de nos évolutions, un scaphandre à jupe étanche pour dame, une robe de varech avec un sextant en sautoir, un complet en homard mayonnaise rehaussé de hublots matelote, un pantalon en forme de radoub et un pardessus orné de manches à air pour visiteurs clandestins. Afin de lancer la mode militaire selon le code de l'honneur, un vieillard s'était brisé une bouteille de champagne sur la casquette blindée : il était tombé raide, mais chacun crut qu'il faisait la planche. Aussi ce léger incident demeura-t-il inaperçu.

Nous avons tenu à interroger l'éminent secrétaire général de l'Exposition, qui s'était mis aussitôt à notre disposition pour nous piloter.

« Notre but, dit-il, avec flamme, est de développer chez les jeunes le goût du mal de mer. Il faut rendre à l'eau ce qui ne lui appartient pas ! L'avenir est dans le lac, vivent les romans-fleuves ! On ne nous fera pas prendre des vessies natatoires pour des phares. »

Notre cicérone nage le crawl avec une éloquence incomparable. Il est rasé de près, grâce aux lames qui déferlent sans cesse sur ses joues. Nous sommes frappés de la facilité avec laquelle il se déplace entre deux eaux sans retenir son souffle.

« Pas étonnant, explique-t-il avec bonne grâce : je respire la santé. »

Il nous entraîne vers les salles de cartographie :

« Voici le plus récent planisphère. Les régions coloriées en bleu représentent les mers navigables. Les autres régions également coloriées en bleu représentent les mers non navigables. »

Plusieurs reporters-photographes se bousculent autour d'un assemblage de planches.

« C'est l'authentique radeau de la *Méduse*, dont les occupants, comme vous le savez, s'entre-dévorèrent. Approchez, on peut encore voir des traces de morsures dans le bois et le pot de moutarde qui servit à l'assaisonnement. »

Nous ne sommes pas au bout de nos surprises. Les innombrables vitrines proposent à notre admiration ou à notre attendrissement des objets nautiques au premier chef, dont nous aimerions donner une nomenclature complète. Qu'il nous suffise de citer pêle-mêle : le rouet spécial pour filer les nœuds, la plus courte paille du monde, la prise de courant marin, la toise pour mesurer l'explorateur des grands fonds, une bouteille d'ancres, un bras de mer tatoué, l'omelette de Christophe Colomb, la cale destinée à caler les bateaux sur le point de chavirer...

Dans une malle des Indes ouverte, un amoncellement de débris de bois et de fer : c'est une coupée, en morceaux. Dans leur sac, les « clubs » imperméables avec lesquels les scaphandriers de passage dans le quartier font leurs dix-huit trous sur le terrain du Gulf Stream.

Notre visite est terminée. Mais, avant que nous mettions les voiles, les organisateurs du Salon nous souhaitent gentiment la bienvenue, ce qu'ils avaient totalement oublié de faire au moment de notre arrivée.

MAURICE HENRY.

UNE HEUREUSE INITIATIVE

La direction de l'Observatoire de Paris vient de constater, ces temps derniers, que l'annonce de l'heure par l'horloge parlante ne rimait absolument à rien. En effet, la phrase : « au quatrième top, il sera exactement telle heure » ne signifie pas grand-chose... Un « top », qu'est-ce que c'est qu'un « top » ? Aussi, désormais, quatre petites taupes seront enfermées dans une cage en terre cuite munie d'un voyant devant lequel les taupes passeront de seconde en seconde, et la phrase prendra ainsi un sens exact et précis et l'on entendra désormais dire au speaker : « A la quatrième taupe, il sera exactement X heure, X minute, X seconde. »

FERNAND RAUZENA.

SOYEZ UP TO DATE

Pour simplifier les soins de votre chevelure, faites bouillir votre cuir chevelu.

Ainsi, lorsque votre crâne sera recouvert de cuir bouilli, vous pourrez facilement l'entretenir à l'aide d'un simple cirage crème et d'un bon chiffon de laine sans avoir à vous soucier des lotions coûteuses et trop souvent inopérantes.

TABLE

Achevé d'imprimer en novembre 1984
sur les presses de l'Imprimerie Bussière
à Saint-Amand (Cher)

PRESSES POCKET — 8, rue Garancière — 75006 PARIS
Tél. : 634-12-80
— N° d'édit. 2144. — N° d'imp. 1512. —
Dépôt légal : novembre 1984.

Imprimé en France